U0107135

沙孟海 著

经学
典术

印 学 史

陈振濂 导读

上海书画出版社
Shanghai Fine Arts Publisher

朵云文库·学术经典

学术顾问（按姓氏拼音排序）
陈振濂　邓福星　范景中　郎绍君　卢辅圣
潘公凯　潘耀昌　薛永年　尹吉男　周积寅

编辑工作组
王立翔　王　剑　曹瑞锋　陈家红　朱艳萍

沙孟海（1900—1992），原名文若，字孟海，号石荒、沙邨、兰沙，宁波鄞州沙村人。历任浙江省博物馆名誉馆长，浙江美术学院教授，中国书法家协会副主席，西泠印社社长，为现代高等书法教育的先驱者。其书法广涉篆、隶、真、行、草各体，晚年尤精行、草，可谓气势磅礴，雄浑厚重，自成一体。先生阅历宏富，治学严谨，对书法学、古文字学、篆刻学、金石学、考古学都有精深研究。著有《近三百年的书学》《印学概述》《沙孟海论书丛稿》《中国书法史图录》等。

丛书弁言

王立翔

中国艺术源远流长蔚为大观，然以书画为核心的中国艺术本体认知及其理论阐发，近代以前，学人多以诗赋、笔记、题跋为载体，以描述、感悟为表征。这与主流阶层，将艺术仅作为从政之余抒发心志之观念有关，这导致了书论画学诸门无法望经世之学项背的事实。但近世以后，尤其是辛亥以来，随着传统士阶层社会作用的变换，以及治学语境、研究视野、学术方法之更改，在一批卓有才华的新学人努力下，传统艺术进入现代学科视域，中国艺术的本体精要和文化精神开始得到了全新的诠释、辨析和发扬。毫无疑问，因与西学的碰撞和融合，中国传统学术发生了巨大变化。在对中国传统艺术的长期学究中，向以画学一门最为突出，其学术语境也发生了重大变化。大量的中国文物和书画名迹流至域外，引发了海外学者对中国文化的浓厚兴趣，他们运用西方的学术方法，开始阐述各自心目中的中国美术，对国人产生了不小影响。当然最为重要一页的翻起，仍是游学海外的中国学人自己，他们张开胸怀，吸收着西方工业文明下的现代科学理念和治学方法，开始了勇于辨讹、尝试思辨的别开生面的中国画史探索。

在国内，敦煌藏经洞、各地石窟墓室的先后开启，一次次突破着人们故往的认识；动荡的社会，导致文物大量流失，也使更多的新材料能为研究者所用。而在现代印刷技术的传播下，美术材料的易见性大大冲破了原有的局限。作为近现代学术成立的两大基石：新材料与新方法，一时蜂拥展现在20世纪初的艺术学人面前。

正是在这样一个特定历史环境下，一批学者放眼世界，既吮吸西方新学，又融合中国传统学养，投入到以书画为主体的中国艺术研究中。纵观这一百年来，他们经历了模仿到兼通到后期体系自建的历程，现代学科应具备的特质如理论性、逻辑性、体系性等逐步成熟，呈现出一条上承古代下启当今的鲜活的学术生命之流。他们关注新材料，寻觅新方法，创建新思想，以筚路蓝缕的拓荒精神，开启出中国艺术研究从未有之新境。

今之视昔，此间研究均有时代局限，但许多著述仍因有奠基之功而成为后学之经典。为使当今学界和继学者更方便更完整地获见此一时期的中国艺术研究成果，我们精心遴选一批近现代艺术文献再予整理出版。所取著作肇始于20世纪初，迄于"文革"之前；所选范围，乃以中国传统艺术为主体，兼及诸种工艺美术；所选标准，则以于当时有重要作用、于今天仍有借鉴意义之论著为重。我们注重文本的准确性，同时从艺术研究对象出发，分别配以图版，以作印证。尤为重要的是，我们邀约专家撰文导读，以帮助读者理清原著学术脉络，辨明文中精义，认识著作产生的历史背景，展现前辈们的学术个性，便初学者获得治学门径。以上努力，或谓于具体问题之分析仍有巨大学术价值，或谓对推进当今之中国艺术的深入研究亦有重要启思意义。因以"朵云文库·学术经典"系列贮存，以钩沉论艺渊薮，绵延传统文脉，尽责无旁贷之职！

导读：考古学家的手段

——沙孟海《印学史》发微

陈振濂

　　沙孟海先师是一位学者型书法大家。所谓的"学者型"，不仅仅是指他有学问，才高八斗学富五车博闻强识，而且指他具有学术家的素养。比如，从《近三百年书学》《印学概论》出发的学术生涯，使沙孟海师养成了一般学人著述家所不具备的独特素质：他有极强的"问题意识"，善于发问，运用古籍文献有竭泽而渔的能力；他又能考辨订讹，以绵密的排比罗列互证相较寻绎出令人意外的确凿结论。即使是排列一段资料，何处归并略举，何处详细展开，分章摘段，井然有序，无不展现出一位杰出的大学者胸有成竹、指挥若定的气度与襟怀。《印学史》自1962年春启其端，中途辍搁再三。可以说，这部书在沙老的著作中是具有独特的印记的。

　　与著述家不求新见但求纂辑成书、虽汗牛充栋巨帙宏制徒称宏博不同，在一册简要的《印学史》中，随处可见出沙孟海帅敏锐的学术触角与提出的独特构想。兹分段辨析解读之。

（一）关于《印学史》之"印"

　　本书既取名"印学史"，当然是循"印"的大概念。我第一个好奇的是在"印"的立场上，沙孟海师是如何处理宋元尤其是明清篆刻流派现象的——通常而言，以"古玺汉印"与"明清篆刻"分领商周秦汉魏晋南北朝"印章"，和元明清文人"篆刻"，是一种斯界习惯的做法，约定俗成，谁也不觉得不妥当。

但翻开沙孟海师的《印学史》，他却紧紧抓住"印"这个核心概念，将历史分为"印章旧制"和"印学体系"（而非习见的明清篆刻）两部分。上编"印章旧制"中的章节名称有"古代印章的用途"。不限于古玺汉印的实物介绍而去关注"用途"即使用环境；又专设"有关印章的名称与制度"两章，这些"用途""名称""制度"……都不是古玺汉印本身而是直指印章的社会环境与文化涵义。它与大部分坊间篆刻常识介绍书籍只盯着印章实物本身的做法拉开了距离，体现出沙孟海师作为考古学家的独特专业眼光和思考路径。

当然，因为是"旧制"之"制"，故而唐宋元及楷隶印、花押印及斋馆、收藏、名号之印自然也被纳入其中，因为它们都是"制"——官职之制文化之制的衍生物，都属于"旧制"的范围。这样，以社会政治文化制度为抓手，简单的古玺汉印作为实物对象的静态介绍研究，被沙孟海师升格为印章的社会制度动态关系研究。遍观当时的其他同类著述，尚未有匹敌者。

再看下编"印学体系"。"学"者，主观为之也。"体系"，自成框架也，皆属人为结果——既切合文人亲自篆刻之"人为"，又强调学问理论及印章生存方式如印谱之"人为"，还关注篆刻形成风格流派艺术上争奇斗艳之"人为"。而且其有序性表明"体系"之结构严谨、流变清晰与非偶然性。故而，章节名称中会有"三部集体印谱""新安印派""西泠印派"而不仅仅以坊间常见流行著述所习用的以具体的印家、印作列目。同样地，前者是沙老所持的重视社会文化动态的综合印学观而不是静态的人物作品的印学观。前者是学术，后者则仅仅是介绍与著述。

(二) 行文中的许多学术闪光点

在《印学史》的具体行文中，包含了许多可以作出进一步学术生发的"玄机"，每次通读，都令我生出新想法。

A.关于官铸官印之脉络

沙老书中提到三国时代有"印工杨利""印工宗养"，再举《宋史·舆服志》载，唐末有祝师古为铸印官，世习缪篆，传其技于孙祝温柔，入宋再为铸印之事，祖孙二人，可称一绝。还有五代后唐庄宗制"宝"（即御玺）二座，命宰相冯道书宝文。宋英宗制"受命宝"，命欧阳修篆其文……我当时还特地按图索骥，复按史书，不但从一个局限的文人篆刻立场摆脱出来，对古代帝王将相铸印系列有了一个大致的认识轮廓，还曾试图再寻找更细密的资料。其后，在我自己的《篆刻艺术纵横谈》中还专设《印制》一章以述其始末。我以为：像这种知识，不熟读史书考订老练、只通篆刻艺术者根本不会关注；又事实上，迄今为止的篆刻类书籍，也从未有人提及过。

【方法特征】：拓宽视野，寻找相关联的旁系领域以互证之。

B.关于文献应用

在考订"玺"之名称时，我们常用《周礼》"货贿用玺节"这样的常识水平的大路货文献，而沙老却以他精熟古史的深厚学养，连举三例以证之。

一曰《周礼·秋官职金》："辨其物之媺（美）恶与其数量楬而玺之。"郑注："玺者印也。既楬书揃其数量，又以印封之"。

二曰《礼记·月令》孟冬之月："坏（益也）城郭，戒门闾，修键闭，慎管籥，固封玺……"

三曰《左传·襄公二十九年》："季武子取卞，使公冶问玺书，追而与之。"

第一、二例是指向经济行为，第三例则是显示权威的政治意图。三例一出，符合史学界孤证不立之则，立论更厚实矣。

【方法特征】：多读古籍，寻找被忽略的证据。

C.关于"刻"印之祖

在对篆刻之始的考察中，沙孟海师又善用实物图像文献，提出了一些惊世骇俗又合情合理的判断。

宋代是一个古印消亡、文人篆刻尚未勃兴的过渡时期。一方面，上承隋唐鉴赏印出现的艺术化倾向；另一方面，文人书画开始了诗书画印一体化的观念建设。但如前所述，宋英宗制"受命宝"，仍然是请欧阳修篆文而交付工匠制造。非唯如此，欧阳修的"六一居士"、苏轼的"东坡居士""眉阳苏轼""雪堂"、王诜的"宝绘堂"、黄庭坚的"山谷道人"等等，都是篆、刻分离。这一风气一直到南宋末贾似道"秋壑珍玩""似道"乃至元代赵孟頫的"子昂""水晶宫道人""松雪斋""赵孟頫印"，仍未消歇。一般认为，文人亲自刻印风气，是从元末王冕到明代文彭何震得青田石（花药石）开始的。但是，沙孟海师却从米芾传世七印中看出端倪：今藏故宫博物院之褚遂良摹《兰亭》有米芾跋，并连用七印："米芾之印""米黻之印""米姓之印""米芾""米芾之印""祝融之后""米芾"，篆法皆不异于时但个别较稚拙；刻制粗糙，显非熟练印工所为。米芾享有大名，又为朝廷书画学博士，在《书史》《画史》中数度言及治印用印，在当时应该不是一个外行。且褚摹《兰亭》为一代名迹，曾入唐贞观内府，若用拙工劣匠所刻之印，以米芾眼光之高，自己也不会答应。再联想到《绍兴米帖》第九卷全收米氏篆隶书，知米老亦嗜此道。这样看来，沙老认为米芾七印出于自篆自刻大有可能。在没有强力的反证出现之前，把"刻"印之首发由元末提前到北宋末，由王冕上推到米老，应该是个大胆合理的判断。在《印学史》中，这是一个他书所无的突出亮点。而且在其后沙老发表的著名论文《印学形成的几个阶段》中，他又再次重点指出米芾乃是会篆会刻的印学家，表明对这一观点十分自信。

【方法特征】：精准判断，大胆以实物图像作为有力依据。

D.关于印谱鉴伪

1917年上海西泠印社出版、吴隐辑"潜泉印丛"本《董巴胡王会刻印谱》共四册，是当时明代文彭、何震、苏宣，和清代浙派西泠八家、邓石如、吴让之、赵之谦、吴昌硕这两头重镇时期难得的过渡一例。董洵、巴慰祖、胡唐、王声振四子号为"新安印派"，传世作品既少，又皆处于明清之际新旧之交，作为徽籍印家，知名度不高，过去很少有人关注。故此谱一出，专攻印学史者无不欢欣鼓舞，以为提供了一份极难得的过渡时期的珍稀材料。但沙孟海师萌生疑虑：既然是四家商量好相约会刻，怎么反而不见他们的个人印谱？董洵有印论《多野斋印说》但自刻印谱失传。巴慰祖有《四香堂摹印》两册，为早年摹古之作。摹印勤奋如此，不可能没有自刻印谱。在沙老找到《会刻印谱》的原钤底本细细比勘之后，这一疑点反而加重了。联系到同时代程芝华《古蜗篆居印述》，分摹"歙四家"即程邃、汪肇龙、巴慰祖、胡唐作品为四册，胡唐还为之作序。以此中巴慰祖印一册风格对照之，则与《董巴胡王会刻印谱》全谱四册风格雷同，如出一手，其实，它就是被认为失传了的《巴慰祖印谱》全貌。再以巴慰祖传世书迹中的钤印十数方，大都是巴谱（即所谓的《会刻印谱》）所收——统计一下，《会刻印谱》中董谱册分得四方、胡谱册五方、王谱册三方。至此，一桩移花接木的印谱出版公案在绵密的考证研究下真相大白。所谓的《董巴胡王会刻印谱》其实就是《巴慰祖印谱》，共四册。只是民国初年攻印史者不多，巴慰祖在印学史中名声处于二流水平，市场号召力不够；而以董巴胡王"新安四子"树立影响力，当然更为理想，于是分拆巴谱为四，如此而已。

【方法特征】：细密比勘，鉴伪而辨知源流由来。

沙孟海师的卓绝篆刻实践，是他的理论研究的坚强后盾。其实，对沙老在当代印学界的学术地位至今尚无人进行过准确定位。记得在他的《兰沙馆印式》将交由出版社出版前夕，我也正在沙府执编《沙孟海翰墨生涯》大型画册，当时他曾把原谱的册页稿本给我看。望着那一方方朱红的印帻，想起它是如何经历过"反右"与"文革"幸免于难的，今日终于可以汇集成册化身千万，为公众所欣赏学习；又看到吴昌硕为此谱的题扉，有"浙人不学赵扝叔，偏师独出殊英雄"，忽然心有所动：沙老在篆刻界的历史定位，其实正可从此二句中探得消息。沙孟海师是鄞人，与赵之谦出生会稽同出两浙之宁绍平原，但他却不学当时正风靡天下的赵之谦；不但如此，他的印风也不涉同为浙人的赵叔孺、吴昌硕，也不涉同时兴盛一时的黄牧甫，整部《兰沙馆印式》，充溢的是古玺汉印等上古格调，而没有丝毫的流俗与时髦。如果说，赵扝叔、吴昌硕、赵叔孺、黄牧甫等都开宗立派，众皆翕附因而客观上成为一种新的时尚、新的"形式语汇霸权"（我们平时称之为"个人风格"）的话，那么，作为一个纯正的学者、一个考古文史学家的沙孟海师，却志不在此。他寝馈周秦，出入汉魏，以古印为风范，一有招式，必合古则。在民国以来近百年，这种不依傍时风而又食髓知味、与古法无论在审美精神上还是在形而下的技法一招一式相汇通的各方面，都能达到如此高度与纯度的，环顾四周，竟无人可以抗衡于沙老。如果以类型学立场来看，创立个人风格作为一种典范，当时领军者不下数十；那么取食古而化，以古法纯度论高下，或曰唯沙老一人而已！

沙老在印学方面成果丰厚。除《印学史》外，另有总述《印学概论》，札记随笔《沙邨印话》，论文《印学形成的几个阶段》等等，皆能发前人之未发。故每一出刊发表，必洛阳纸贵，交口相颂，成为20世纪80至90年代书法篆刻界一道亮丽的风景线。附记于末，以志其盛。

2016年3月16–18日于北京全国"两会"

目　录

印学史

上编　印章旧制

第一章　印章的起源

印章，无疑是进入阶级社会以后的产物。它最先出现的是作为奴隶主压迫奴隶的一种工具，又是奴隶主与奴隶主之间作为交接凭信的一种手段。这种印章，无论在文献资料或实物资料中，都已没有迹象可寻。

甲骨文、金文有"印"字，但它是"抑"字的初文，不是印章的"印"字。

于省吾《双剑誃古器物图录》著录的安阳出土的三件铜玺，形象接近铜器图徽，应该是早期作品。但如定为商代作品，还缺乏科学根据。安阳殷墟的考古发掘工作，新中国成立前做了十五次，新中国成立后也一直在做，但在殷商文化层中从来不曾发现过一件玺印。三玺的出土情况不详，很可能出自上层堆积中。我们为对历史负责，暂不肯定它的时代。

根据文献记载，《周礼》书中说到"玺"和"玺节"共有三处。地官司布条下有"凡通货贿以玺节出入之"的话。掌节条下也有"货贿用玺节"的话。郑注："玺节者，今之印章也"。秋官职金条下有"辨其物之媺（美）恶与其数量楬而玺之"的话。郑注："玺者，印也。既楬书揣其数量，又以印封之。"《周礼》，大家承认是战国时代的书，所记周代官制应有所本。三处说到的玺和玺节，都与"货贿""物"

图1　安阳出土铜玺之一

图2　安阳出土铜玺之二

图3　安阳出土铜玺之三

联系，应该是比较早期的资料。这里可看出印章的起源与社会经济有密切的关系。

另外有两处文献资料：《礼记·月令》孟冬之月"坏（益也）城郭，戒门闾，修键闭，慎管籥，固封玺……"《左传》襄公二十九年"季武子取卞，使公冶问，玺书，追而与之"（《国语·鲁语》所载大致相同）。《月令》中说的"固封玺"，封的当是公有财物，也可能是库房门户，总之都属于经济方面。《左传》中记载了季武子派公冶携送公文向鲁襄公汇报取卞邑的经过，说明那时印章的使用已经发展到文书上来了[1]。

朱白文古玺，见于诸家收藏实物和印谱著录的数量不少，并且还有编成专谱的（如吴大澂《千玺斋古玺选》）。这些珍贵的大量古玺，可惜不是经过科学发掘而获得，不知道原来存在的地层，也看不到与其他遗物的共存关系，无从确定其时代。

新中国成立十多年来，在全国范围内考古发掘工作中所发现的古玺，我们知道有不少处。已经看到报告的，如长沙伍家岭第260号墓[2]，巴县冬笋坝冬2、冬49、冬50、宝6等船棺墓[3]，都发现过或多或少的小型铜玺。汲县山彪镇第一号墓中发现过石玺[4]。……这些古玺，考古学者都定为战国时代的遗物。到现在为止，考古发掘中还没有发现过可以肯定是春秋时代的玺印。

从以上实物资料结合文献资料来看，印章的起源应该是社会经济有了一定程度的发展以后。那时，商品交换日益频繁，需要有一种信用的凭证，保证货物的安全转徙或存放，印章就在这个需要上通过群众的创造而产生。刘熙《释名》卷六《释书契》："玺，徙也。封物使可转徙而不可发也。"虽然未必是玺的本义，却道出了早期玺印的作用。

至于早期使用印章的时代，今天推断，社会经济发展到春秋时代，铁工具已经开始使用，农业生产力的逐步提高，促进了手工业与商业在列国间的广泛发展，作为保证货物安全转徙或存放的信用凭

1　在《逸周书·殷祝篇》中亦有"汤放桀……取天子之玺置之天子之坐"之说，时代更早。但《逸周书》晋代才发现，这几句话也不似商代人口吻，所以不引据它。

2　见《长沙发掘报告》。

3　见《四川船棺葬发掘报告》。

4　见《山彪镇与琉璃阁》。报告原文说："在此墓垄土中拣出石质印章一，刻四字，与此墓关系不明"（40页）。虽然在垄土中拣出，看它字体，仍不失为战国时物。

图4　长沙伍家岭出土铜玺之一

图7　长沙伍家岭出土铜玺之四

图5　长沙伍家岭出土铜玺之二

图8　长沙伍家岭出土铜玺之五

图6　长沙伍家岭出土铜玺之三

图9　汲县山彪镇出土石玺

证的印章，必然已经通行。春秋中期季武子用玺书的故事，便是一个很好的例证。今天遗存的大量古玺，其中可能有一部分是春秋时代的，不过我们目前还无法加以鉴别罢了。进入战国时代，中国的社会性质起了根本的变化，随着生产发展的需要，印章更被大量使用，并且达到了全面发展的程度。

第二章　古代印章的用途

"印者，信也。"[1] 用它作为人与人交接上的信用的保证。那是从来就如此。

但古代使用印章，并不像我们现在那样蘸上印色，捺在纸上。因为那时人们封存物体或递送物件，如果单用绳子扎住，就难防被别人拆动，所以在绳结上封一泥块，把印章盖在泥块上，别人就不能拆动它。这种封物的泥块，名叫"封泥"。最初是封存财物需用玺印封口，后来递送文书（当时文书是写在竹简木简上的）也用玺印封口。这可说是古代印章的主要用途（参看第八章）。

除了这一主要用途以外，古代印章还有几种不同的用途。分述如次：

第一，手工业者在所制造器物上的记名。这就是《礼记·月令篇》中所谓的"物勒工名"。山东、河北等处出土的战国时代的陶器钤有此种玺文者最多。陈介祺《簠斋藏陶》、刘鹗《铁云藏陶》等书所著录，多属战国遗物。与此同时期的漆器上也曾有这类印痕发现过，如长沙出土漆羽觞，底外木胎有方形、三角形相叠的烙印，记制胎工人的名姓[2]。

1　见刘熙《释名》。
2　见《长沙出土楚漆器图录》图版25及说明页4。

图10　中郎将印　　　　　　　　　　图11　徐度

　　第二，器物名称的图记。战国时代齐国标准量器上盖有"陈华右莫禀口毫釜"专用玺。又北京中国历史博物馆藏战国时代量器"右里升"大小两器，铭文"右里敀鈢"（敀旧释启）四字，有田字界格，也用玺印形式。以上都是图记性质。

　　第三，战国时代楚国金币有"郢爰""陈爰"等字[3]，也用玺印盖成。郢爰出土较多，世称"郢金"。郢和陈都是楚国都城，爰即锾字。这种金币，或称为"印子金"。

　　第四，专作佩带之用。印章背上原有钮，中有小孔，目的为便于穿绳，随身佩带。后来索性特铸一种佩印，用以"辟除不祥"，发展为迷信的产物。《后汉书·舆服志》："佩双印，长寸二分，方六分。……刻书文曰：正月刚卯既央……庶疫刚瘅，莫我敢当……"《抱朴子·登涉篇》："古之人入山者，皆佩黄神越章之印，其广四寸，其字一百二十。以封泥著所住之四方各百步，则虎狼不敢近其内也。"各家印谱常有收录"黄神越章""黄神之印""黄神越章天帝神之印"等，但未见有一百二十字者，可能《抱朴子》所载是后来发展的形式。《雪堂所藏古器物图》收录"刚卯"方柱形玉二品，四面刻字，不是印

3　见罗振玉《金泥玉屑》卷上。

图12　宋得

图13　关里口

图14　长沙出土漆器烙印

图15　右里敀鉩

图16　郢爰五

图17　陈爰

图18　黄神越章

图19　黄神之印

图20　黄神越章天地神之印

图21　故成平侯私印

章形式,与《后汉书》也不合,或者也是后来发展的形式。

　　第五,生前用印,死时殉葬,那是常例。私印如此,官印也同样随殉。但后来有专为殉葬而造的印章,特别是官印,真的缴上了,造一假的随殉。还有,有些官爵是世袭的,真的印章留给子孙用,也只能造一假的随殉。河北景县北魏封魔奴墓中发现的三件官印,刻文极草率,大家认为是明器[4]。明代顾从德《集古印谱》收录"故成平侯私印",也相当草率。官职上面加"故"字,汉人虽也用于生前[5],但看这个印的体制,一定也是明器。

　　第六,传世"日庚都萃车马"朱文六字巨玺、"常骑"朱文二字

4　参考罗福颐《有关古玺印的一些知识》,见《文物参考资料》1958年1期,未附印样。
5　生前用"故"字之例,如《史记·李广传》:霸陵尉醉,呵止广。广骑曰,故李将军。

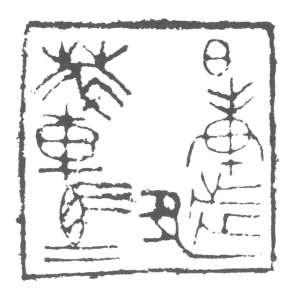

图22　日庚都萃车马

巨印，都有七厘米见方。这样大的印，不适宜用封泥，大约是用以烙马的。

古代印章的用途，主要是钤封泥的，加上另外六种，共七种。

将印章蘸上印色盖在绢面或纸面，那是中世纪的事，直到南北朝才开始通行。《魏书·卢同传》："总集吏部中兵二局勋簿对勾奏按……令本曹尚书以朱印印之。"又说："仰本军印记其上，然后印缝。"《北齐书·陆法和传》："梁武帝以法和为都督郢州刺史……其启文朱印名上自称司徒"《通典》卷六十三说："北齐制……又有督摄万机印一钮，以木为之，长尺二寸，广二寸五分……此印常在内，唯以印籍缝。"可知南朝的梁、北朝的魏和北齐，政府文书都已使用印色，并且已有用"骑缝印"防止移动的办法。这一用法，一直保持到现在。

除此以外，唐、宋以来，公私鉴藏图书字画，书法家和画家们常用印章代签名，或于签名之下再加印章，既表示信用，也作为美观。印章到那时用途更加广泛，这便是印章篆刻这一技法逐步形成专门艺术的客观原因。

第三章　有关印章的名称与制度（上）

印章总的名称主要有玺、印、章、印章、印信等，后世还有记、图书、宝、关防等异称。分别说明如下：

一、玺

早期的印章称为玺。它的字形写作朩，后来加上金旁或土旁，写作钵、坺，也有写作钰、端等形的，变化很多，详见吴大澂《说文古籀补》及丁峰《说文古籀补补》两书。那时的玺，人人通用，并无等级的差别。应劭《汉官仪》："玺，施也，信也。古者尊卑共之。"（孙星衍校集本卷下）这话说得对。诸家印谱收录各种形式的私玺与官玺，特别是私玺，数量不少。

自从秦始皇建立中央集权的统一帝国，规定"玺"是天子专用，臣下只能称为"印"。玺与印开始有等级的差别。同时，用印章来表征统治阶级法权的一种神圣不可侵犯的东西，也在那时确定下来。卫宏《汉旧仪》卷上："秦以前民皆佩绶（疑有误字），以金、银、铜、犀、象为方寸玺，各服所好。自秦以来[1]，天子独称玺，又以玉，群臣莫敢用也。"秦代皇帝玉玺原物，后世不传（参看第六章），《汉旧仪》同卷

1　"自秦以来"通行本《汉旧仪》作"汉以来"，今据蔡邕《独断》所引改正。

图23　私玺

图24　长金之玺

图25　王氏之玺

载:"皇帝六玺,皆白玉螭虎钮,文曰皇帝行玺、皇帝之玺、皇帝信玺、天子行玺、天子之玺、天子信玺。"这是汉代制度,是由秦代制度发展而来的。从这里我们可推想秦代玉玺已明著"玺"字了。汉代官制基本上沿用秦代,但诸侯王这一级是秦代所无,他们的印章也称玺。《汉书·百官公卿表》:"诸侯王金玺盭(绿色)绶。"传世银印有"淮阳王玺",封泥有"菑川王玺""河间王玺",都是诸侯王用玺的实例,其字从土,尔声[2],或从玉,尔声。从玉的与现在的楷书基本相同。

玺的名称,历代帝王一直沿用不废。辛亥革命后,帝制推翻了,"中华民国"国玺文曰"中华民国之玺",还用玺字。

二、印

甲骨文、金文都曾有过"印"字,上面说过,它是"抑"字的初文,不是印章的印。丁峰《说文古籀补补》印字注:古玺工师之印,系山

---

2 《说文》玺字本篆从土作壐,是由壐字转化来的。

图26　皇帝信玺

图27　淮阳王玺

图28　淄川王玺

图29　工师之印

东出……陈簠斋（介祺）谓工师是齐官。按印文作"工师之印"，篆文仍是六国文字，而用印不用玺。可见春秋战国时代也曾用印的名称，但不普遍。

秦汉时代，一般官印通称"印"。《汉书·百官公卿表》所叙自丞相以下官名、职掌及所用印章，如丞相太尉，皆金印紫绶，比二千石以上皆银印青绶，比六百石以上铜印黑绶，比二百石以上铜印黄绶，基本上是秦代旧制。[3]传世两汉官印明著"印"字者，如"关内侯

3　《汉书·百官公卿表》："秦兼天下，建皇帝之号，立百官之职。汉因循而不革，明简易，随时宜也。"

图30　关内侯印

图31　军司马印

图32　广武将军章

图33　御史大夫章

图34　校尉之印章

图35　丞相之印章

印""部曲将印""军司马印""巧工中郎将印"以及县令、县长等印，所见不少。直到新中国成立前为止，各时代的正式官印，一直著一"印"字，不曾改变。

三、章

两汉官印也有称为"章"的。传世铜印如"广武将军章""牙门将之章""宗正偏将军"，封泥如"御史大夫章""武都太守章"等皆是。

四、印章。

连称"印章"，始于汉武帝太初元年（前104）。传世汉铜印有"校尉之印章""偏将军印章""牙门将印章"，封泥有"丞相之印章""大司空印章"等。官私印文用"之印"两字的，其中"之"字是为了填足字数。连用"印章"两字，也是为了填足字数。《史记·孝武本纪》太初元年"更印章以五字"。《集解》："汉据土德，土数五，故用五为印文也。若丞相曰'丞相之印章'，诸卿及守相印文不足五字者，以'之'足也。"丞相、校尉都只二字，所以加"之印章"三字，填足五字。牙门将三字，或用"之章"二字填足，或用"印章"二字填足。"阴阳五行说"是汉代人思想的特点，反映到政治上、学术上、生活上，不一而足。印章用五字，便是一例。

五、印信

古玺文或称某官"信鉨"。汉代皇帝六玺中其二便称"信玺"。

图36　赵迁印信

汉、晋、南北朝私印亦有称"信印"的,但很少见。称某某"印信"的最常见,多属朱文。

六、记

印章或称为记。传世唐代官印如"大毛村记",宋代如"永定关税新记"皆是。也有称为"朱记"的,这是说明用朱红印色钤盖,以别于墨印。传世唐代官印有"蓟州甲院朱记",宋代有"辂马厩门朱记"。以上各印皆见《贞松堂隋唐以来官印集存》与《唐宋以来官印集存》。清代官印,"文职佐杂及无兼管兵马钱粮武职官,用木钤记"(见《清会典》)。直到新中国成立前,有些小机关的公章还沿用"钤记"的名称。

图37　中山王宝

图38　大毛村记

七、图章

都穆《听雨纪谈》："前代有某氏图书之记，惟以识图画书籍。今刻私印亦曰图书，误矣。"从鉴藏图书印记而误称印章为图书，由来已久，现在人们口语上还有这样称法。从这一称法而转化的，则有"图章""图记"。如周亮工《印人传》标题有《敬书家大人自用图章后》《书钿阁女子图章前》……通人也所不免。

八、宝

王厚之《汉晋印章图谱》收录"中山王宝"四字白文小玉印，未知何代物。印章称宝，始见于此。皇帝用玺，唐武后改称为宝。[4]从此以后，历代帝王所用的玺，或称宝，或仍称玺。

九、关防

明太祖因官场使用预印空白纸作弊，议定用半印办法，两相勘合，以严关防。这种两合的半印就称为"关防"。后来勘合制度已废，有些不是正当设置的官员，其印信就称关防，仍用长方形，但文字是完全的。直到新中国成立前，还沿用这个名称。

图39　辖马厩门朱记

图40　前军都督府都督佥事朱关防

4　见《新唐书·舆服志》。

第四章 有关印章的名称与制度（下）

印章，因其用途与制度的不同而有各种不同的基本名称，介绍如下：

一、白文印、朱文印、朱白间文印

玺印文字或图像都有凹下与凸起两种形体。凹下的通称阴文[1]，凸起的通称阳文。但这个称呼不很妥当。因为我们看到的凹下与凸起是就印章的文字或图像本身说的。古代使用印章的人，其称呼都和我们相反。他们是就印下的封泥说的。他们所谓的阳文，却是我们通称的阴文，他们所谓的阴文，却是我们通称的阳文。因此，金石家为避免误会，通常称阴文为白文，称阳文为朱文（朱文或称红文）。就古代印章用朱泥钤盖在纸上的现象而取名，虽然不合当时原来的用法，但不致再有混淆，也是一个方便。有些印章一面之中并有白文朱文者，名曰"朱白间文印"

二、私印、官印

玺印有官私的分别。官印刻官职名称，私印刻私人姓名字号等。私印亦有明著"私印"二字的。私玺有只用"私玺"二字而不著姓名

---

1 阴文或称雌字，见盛熙明《法书考》。

图41　任昌国印

图42　缂仔妾娟

图43　隃糜集掾田宏

图44　金

图45　雷腰

的,其文作朮,这是早期作品[2](见第三章)。

私印或连官职铸刻。按其性质仍是私印。传世有汉代"缂仔妾娟"玉印,便是一例。[3]魏武帝《选举令》:"魏诸官印各以官为名"[4],但这类印章传世不多。顾氏《集古印谱》卷一收录"裨将军张赛"一印,《十钟山房印举》举之二收录"尚书散郎田邑""隃糜集掾田宏"两印,大约就是三国以后印

三、方印、圆印、长方印、椭圆印及其他形制

无论官私玺印,通常是方形,也有少量的圆形、长方形、椭圆形。

圆印、长方印在古玺中已有之。汉官印也有长方形的,印面大

2　参看程瑶田《看篆楼古铜印谱叙》。
3　现藏故宫博物院。
4　见《全三国文》卷二。

图46　钱府

图47　北乡

图48　东易囗泽王卩锡

小相当于方印之半,或称"半通印",亦称"半印"[5]。半印的官职都是基层杂职,《十钟山房印举》举之二官印十八有"钱府""马府""祠厨""北乡"……仲长统《昌言》:"身无半通青纶之命",就是指此。

除此之外,更有长条形、扁方形、上方下圆形[6]、三角形、矩形等。后世又有联珠形、瓢形、葫芦形、秋叶形、钟形、鼎形等,变化无穷,但都不多见。

四、铸印、凿印、蟠条印

金属玺印,不论官私,一般是先雕泥范,然后用翻砂法或拨蜡法冶铸而成,名为"铸印"。古代印章大多数是连印文一起铸成的。非

5　明以后的关防也称半印,上章已说及。
6　上方下圆形,程邃称之为"人面印"。

图49　安阳乡印

图50　敬事

图51　宣和

图52　大观

图53　退密

图54　营军司马丞

图55　周党　　　　　　　图56　扬威将军章

金属玺印如石玉等类，不能冶铸，只能用刀凿刻。也有金属玺印先铸成印形然后凿刻印文的，一般称为"凿印"。凿印印文有工整与粗率之分。工整者与铸印相似，其中玉印尤多工致，想必出于好手。粗率者字形欹斜，刀痕显露。如部分官印，因急于封拜，不待范铸，匆促凿成应用。亦称"急就章"。这类凿印，多属武职人员所用。

唐代官印统用朱文，字画用小铜条蟠绕而成，遇有枝笔，用短条焊接上去。这是一种新的制法。印史上未见有什么名称，我们称之为"蟠条印"。蟠条印蟠出的文字，不容易排得很匀整，工程也不简单，所以后世很少采用。

五、名印、字印、回文印、横读印、交错文印、名字合印、总印

名印，或只著姓名，或加"印"字，或加"之印""私印""印信"等字。单名容易处置。用两个字为名，世称"二名"[7]。二名的名印，多采用回文法。郎瑛《七修类稿》说，"汉印二名，姓独右，名俱在左，防误看也。"这是指三字名印。如果是四字名印，"印"字放在姓下，二名仍然"俱在左"，回环读之，则为"姓某某印"，不读"姓印某某"。如张释之的名印，"张释之印"四字，如照通常刻法，不用回文，人将

7　用两个字为名，称为"二名"，不称"双名"。双名指用两个重叠字为名，如关盼盼、陈圆圆。

图57　金山县印实物图样
金山县印

图58　赵来卿

图59　卜官建印

图60　王博之印

图61　张九私印

图62　郭广印信

图63　李广汉印

图64　傅阑　字公子

误看为姓张名释,看不出他是姓张名"释之"。这是回文印的好处。

字印,亦称"表字印"。汉晋时代的字印,必连姓,《十钟山房印举》举之二十四都是姓名字印,没有一个字印不连姓的。后世或连或不连,无定法。元人或作某氏某某,如"赵氏子昂"便是。

横读印如"司寇之玺","司寇"二字在上列,"之玺"二字在下列。又如"杜阳左尉","杜阳"二字在上列,"左尉"二字在下列。交错文印如"宜阳津印","阳"字在"津"字下,"津"字在"宜"字左,容易误读"宜印津阳"或误读"宜津阳印"。还有"朱吾右尉","吾"字在"右"字下,"右"字在"朱"字左,容易误读"朱尉右吾",或误读"朱右吾尉"。以上两种印文甚少见。

姓、名、字并刻一印,称为"名字合印"。亦有将邑里、姓、名、字

图65　赵氏子昂

图66　司寇之玺

图67　杜阳左尉

图68　朱吾右尉

并刻一印的，世称"总印"。

六、两面印、多面印、子母印、带钩印

私印有两面刻字的，一面刻姓名，另一面刻姓字。也有一面刻姓名，另一面男子刻"臣某"，女子刻"妾某"。也有一面刻姓名，另一面刻吉语或图像。也有一面刻吉语，另一面刻图像。这些统称两面印。两面印不能有钮，只在中部凿一小孔，以便穿带，所以又称"穿带印"。

图69　河间武恒刘芝字伯行

图70　王羌人　王长公

图71　口代之印　臣代

图72　李颇　姜颇

图73　魏会　飞鹤图像　　　　　　　　　图74　行道吉　两人背坐图像

立体方铜,六面刻字,名为"六面印",六面印所刻内容,也都是各种形式的名字印,或者加上"某某白笺""某某言事"。也有只刻五面的,名为"五面印"。传世有早期五面玺,一面只刻一字,五字连读。

大小两印或两印以上套在一起以便携带的,名为"子母印",亦称"套印"。

铜制带钩,钩身连铸一个印,便于随时佩带,名为"带钩印",也简称"钩印"。

七、印钮、印绶

印背高起,有孔可以穿带,名为"钮",或作"纽"。早期玺印钮形质朴,只铸成突起的形状,横穿一孔便了。后人称作"鼻钮"。如《双剑簃古器物图录》所收三个铜玺便是。后来渐趋美观,制作加精,雕成各种动物或器物形状,种类繁多[8],并且也有官级的区别。这和当时铜容器、铜乐器纹饰的发展也有关系,虽属小品,也是古代工艺美术的一个方面。卫宏《汉旧仪》卷上:"皇帝六玺,皆白玉螭虎纽",同书卷下:"皇太子黄金印,龟钮"。孙星衍《汉旧仪补遗》有一条:

8　《文物参考资料》1958年1期罗福颐的《有关古玺印的一些知识》,可供参。

刘龛白笺　　　　　　臣龛　　　　　　　刘龛言事

刘龛　　　　　　　刘龛　　　　　　　刘龛之印

图75　六面印

图76　千秋百万昌

图77　张君宪印　张捐之印

图78　王伯孺印　王固之印　臣固

图79　田则

"诸侯王印黄金,橐驼纽……"

"列侯黄金印,龟纽……"

"丞相、大将军黄金印,龟钮……"

"御史大夫、匈奴单于黄金印,橐驼纽……"

"御史、二千石银印,龟纽……"

"千石、六百石、四百石铜印,鼻纽……"

以上不过举汉代官印的纽别,在这以前和以后,纽式花样很多,通常还有辟邪纽、狮纽、鱼纽、龙纽、蛇纽、凫纽、兔纽、羊纽、马纽、圭纽、覆斗纽、瓦纽、坛纽、桥纽、亭纽、钱纽等。后世官私印章,既不佩带,也不一定有纽。

印绶,就是印纽上的穿帛。秦汉以来,官印印绶颜色的差别,都有一定的等级,不得僭越。这里不详述。

第五章　春秋、战国印

上面论印章的起源问题时，曾经说到春秋后期印章的应用已由经济上推广到政治上。进入战国时代，印章更大量使用，全面发展。考古发掘中虽然还不曾发现过确实可靠的春秋时代的玺印，但我们就当时社会经济发展的情况来看，就文献记载来看，应该说已经有玺印了。《周礼》《礼记》记载了玺和玺节的应用。《左传》有季武子用玺书的记载，更可确定春秋时代有玺印的事实。玺，是当时各阶层通用的东西。传世战国时代古玺数量不少，其中必有春秋时代的作品，当然，我们现在还不能明确地把它们区别开来，有待于今后的进一步研究。

战国时代印章的应用更多。上面所论印章的用途，其中器物记名、金币专用、标准量器专用，都是战国时代的新风气。《庄子·胠箧篇》："焚符破玺，而民朴鄙。"《吕氏春秋·适威篇》："故民之于上也，若玺之于涂也，抑之以方则方，抑之以圜（圆）则圜。"若不是玺印广泛应用，庄子必不出此语，吕氏也不用作比喻。苏秦佩六国相印，更是人人知道的历史故事。宋以来诸家收藏和印谱著录的朱白文官私玺，估计绝大多数是战国时代的作品。

我们在考古发掘工作中所见到和听到的战国时代的玺印，大致情况是：

“三晋地区出土官印有两大类：一是白文有边的，都是官玺，文如‘平阴都司徒’。一是阳文小印，文如‘乐阴司寇’‘乐阴司成之玺’。”

“齐国地区出土官印中常有带纪事的，有的文字很长，如阳党官印，有‘昜鄗邑圣逿盟之玺’八个字。有的简单，如‘齐立邦玺’。有标准量器专用的，如‘陈华右莫禀口毫釜’。”

“燕国官印中多作长条形，并加细长柄。如‘单佑都市王卩锴’。”

“战国时期玺印，一类属于‘物勒工名’，是手工业者专门打印在所制器物上的。齐国出的文字常很长，名氏之外包括籍贯（如‘右

图80　平阴都司徒

图81　乐阴司成之玺

图82　昜鄗邑圣逿盟之玺

图83　单佑都市王卩镐

敨邹鄢尚华里季贴'），多正方形。燕下都出的文字简单些（如"匋午""匋攻昌"），多长条形。郑州、洛阳等地出的文字更简单，常只一、二字，方或圆形。"

现在所知道的如此，今后一定还有新的发现。

以上所说战国时期属于"物勒工名"的印章，主要是指陶器。山东临淄出土这类陶器最多，邹县、福山、滕县等处也有发现。山东省博物馆曾造列《临淄制陶工人姓名住址简表》，这个表同时也是研究陶器记名玺的好资料，现在节录几条如下：

人名	住址	陶文（即记名玺全文）
雠	东蔓圆	东蔓圆雠
蠹	蔓圆南里	蔓圆南里人蠹[1]
造	蔓圆匋里	蔓圆匋里人造

1　这个记名玺是阳文反文，其余都是阴文正文。

图84　蒦圖匋里人造

喜	东匋里	绍迁东匋里喜
草	关里	楚城迁关里草
王间	丘齐平里	丘齐平里王间

（原注：当时一般陶工类只用名，间亦加姓。陶工搬到新地方，例在原地名上加"迁"字。）

　　考古发掘资料以外，各地区出土的朱白文古玺，仅《十钟山房印举》举之一所收录的就有五百八十七钮，实际举之三所收录的也有部分是古玺，而陈氏所未收和后来继续出土的古玺更多。这批古玺，形制变化很多，字体也不一致，虽然有地区的关系，但一定还有时期先后关系，包括战国初期、晚期及战国以前。到目前为止，我们还没有方法作细密的分析研究，也只有等待考古发掘资料更丰富时来解决这一问题。

　　春秋、战国印，大小很不一样，一般私印都小约1—2厘米见方。官印通常2—3厘米见方，也有大到7厘米见方的，如"日庚都萃车马"朱文巨玺（见第二章）。它的形式，主要是方的，也有圆的，椭圆

图85　楚城迁关里草

的, 长方的, 扁方的, 长条形的, 三角形的, 矩形的……不胜枚举。燕国官玺多长方形[2]。齐国官玺方形上边有小方形突出, 世称"上出"形[3]。这是常见的异形玺。

2　如"易都枏王卩""单佑都市王卩镝"。
3　如"易鄢邑圣逦盟之玺""逦盟之玺"。

第六章　秦印

秦始皇统一中国，建立了一整套的专制主义的中央集权制度。金石制作也不在少数。除南北诸山刻石外，还有度量衡器所刻诏书等。印章，因无纪年，不能断定它的绝对年代。旧时学者把传世的朱文小玺定为秦印[1]，或称为"秦钤（玺）"。徽、浙两派篆刻家直到近代赵之谦、黄士陵等的印谱中，常见"仿秦印""仿秦玺"的作品。实际这批小玺都是战国或战国以前印，决非秦印。秦代制度，只限皇帝称玺，臣下一律称印（参看第三章），"秦玺"的名称更不妥当。前辈能看到的古代文物不如我们多，这是时代的局限性。现在条件好了，我们就必须把它搞清楚，不能以误传误（朱简《印品》《印经》称这批小玺是"先秦印""三代印"，已有相当识力）。

现在就我们所知道的秦印，分官印、私印两方面来谈。

先谈私印。考古发掘中发现战国墓、汉墓很多，但难得有秦墓。秦统一中国时期只有短短十五年，秦墓少见也是意想中事。何况秦代下葬的人，生活的年代主要在战国晚期。私印制度，秦统一后未闻有明确的规定，当时人行用的自然都还是战国晚期那种形式。1975年发掘的江陵凤凰山七十号墓，听说是秦墓，墓中出土"泠贤"两印，

1　朱文小玺或称"阔边碎朱文"。周亮工《印人传·书徐子固印谱前》称"小秦印章"。

图86 郑斋 悲盦拟秦印，为均初刻郑斋记　　图87 遴斋 有秦小印面目，牧甫

图88 泠贤　　　　　　　　　　图89 泠贤

图90 邦侯　　　　　　　　　　图91 邦司马印

一玉一铜，都是白文有边栏的，大家认为这是秦私印的典型了。后据考定，此墓还是属于先秦昭襄王时代[2]，仍是战国时代。这种白文有边栏的私印，从战国晚期沿用到西汉初期，那是可以大体肯定的。

再谈官印。金石著录家对传世有边栏有界格的一批白文印，认为是秦印，这一看法基本正确。理由是：一、就字体看，秦统一中国后，把过去通行在各国的各种不同的字体做过一番整理统一工作，统一以后的文字名曰"小篆"。传世小篆字体以泰山等几处刻石为代表。民间通用度量衡器所刻诏书，也是小篆结构，但笔画方折，是从篆入隶的过渡字体，世称"秦隶"。这批有边栏有界格的白文印，字体与以上两者极为近似。秦书八体，"五曰摹印"[3]，便是这一体。把秦代摹印篆与战国以前各国文字特别是各国玺文相比较，差别很大，一望便可分辨。二、就形制看，秦代官印已有一定的制度，不像战国时代的官印大小相差悬殊，式样变化很多，地方色彩相当浓厚（参看第五章）。其次，战国时代白文玺，绝大多数有边栏，有些已经有界格，秦印由战国印发展而来，仍旧保留边栏，多用界格，也是很自然的。三、作为秦印最重要的证据，是这批有边栏有界格的白文印中间，曾几次发现过"邦"字。《十钟山房印举》有两个"邦侯"印，皆白文，长方形，日字界格。《宾虹草堂玺印释文》有"邦司马印"。《陆庵香古录》有"邦尉之印"，皆白文，正方形，田字界格[4]。汉代避刘邦讳，用"国"字代替"邦"字[5]。这三个官职，肯定属于秦代，不是汉代。

历史上艳称的所谓"秦受命玺"，后世也称为"传国玺"，那是不足信的。据说玉出蓝田山，李斯篆文，王孙寿刻，文曰"受命于天，既寿永昌"，或作"受天之命，皇帝寿昌"。宋薛尚功《历代钟鼎彝器款

2　此墓发掘报告尚未发表，《文物》1978年第二期吴白匋《从出土秦简帛书看秦汉早期隶书》一文中谈到，并附印样。

3　见许慎《说文解字序》。

4　上虞罗氏《陆庵香古录》未见传本。罗氏后人罗福颐先生曾摹取"邦尉之印"印文收入《汉印文字征》中。据他回忆，此印确有田字界格。

5　汉代诏书引《尚书》"协和万邦"改作"协和万国"，便是避帝讳之一例。

识》卷十八摹录三种传本，皆大型，约有10厘米见方，他自己也说："疑以传疑"。玺文固然全不可靠，"传国玺"的名称也是后世才有。真正秦代皇帝的六玺之一的印痕，《封泥考略》卷一有陈介祺所藏"皇帝信玺"封泥，玺方2.6厘米，白文，有田字界格（见第三章），字体形制完全与时代符合。《史记·秦始皇本纪》载："……子婴即系颈以组，白马素车，奉天子玺、符，降轵道旁"，所奉必是全套的玺和符，这颗玺便是其中之一。但有人不相信，那一定是惑于"受命玺"旧说的缘故。

《汉书·百官公卿表》说："秦兼天下，建皇帝之号，立百官之职。汉因循而不革，明简易，随时宜也。其后颇有所改。"这说明汉初官职基本上沿袭秦代旧制。印章，自然也一仍其旧，不会有大改变。那一套有边栏、有界格用摹印篆的白文官印，创始于秦代，沿用到西汉初期。今天论秦印，事实上必须连带到西汉初期印，因为这两者是很难划分的。

传世有边栏的与既有边栏又有界格的白文私印，有方形，有长方形，有圆形，数量也不少，金石学者统称为"周秦印"。我们用"泠贤"两印作标准，认为这批印确有一部分是秦印，也有一部分是战国印与西汉初期印。

至于明代沈周旧藏"疢疾除，永康休，万寿宁"九字盘螭钮玉印，字体是小篆，无边栏，文彭定为"秦九字玺"，顾氏《集古印谱》以此冠首。此印可能是汉代最高统治阶级的专用佩印，也不是秦印。

图92　疢疾除永康休万寿宁

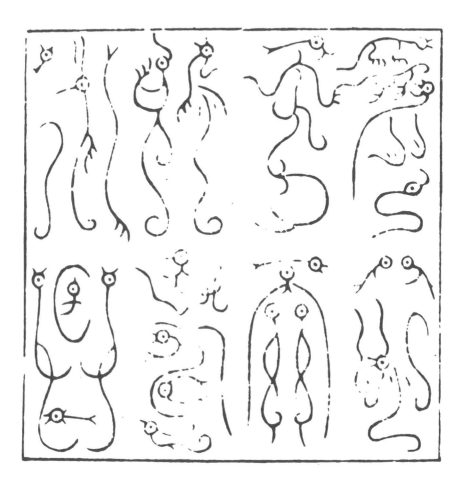

图93　受命于天既寿永昌

第七章　汉、三国、晋、南北朝印

上面说过，汉初官私印章基本上沿袭秦代旧制，后来才逐步有所改变。秦印，一般有边栏，有界格，所用文字主要是小篆，虽然纳入方格，但笔意多取圆势，有时还带先秦时代大篆的风格。西汉中叶以后，印章基本上已不用边栏界格，文字逐渐向平方整齐一路发展，笔画多带隶意，与说文不尽符合，端重丰腴，填满字格，当时也称为"缪篆"，取其结体绸缪缜密之意。

汉印，在印章史上占有头等重要的地位。汉代享国年代较长，封建王朝的典章制度自然更加完备。作为表征统治阶级法权的玺印，在汉武帝时代已经订出一整套的体系，什么名称、质料、钮制、绶色，都有一定的等级。本书第四章第七节摘引的《汉旧仪》所载关于诸侯王、列侯、丞相等各级官吏的印章制度，除质料、钮制外，还有名称的规定：

诸侯王	文曰玺
列侯	文曰印
丞相、大将军	文曰章
御史大夫、匈奴单于	文曰章
御史、二千石	文曰章
千石、六百石、四百石	文曰印

以上大约是汉武帝元狩年间的定制。印文字数未说到，通用的都是四个字。汉武帝太初元年"更印章以五字"（参看第三章），那时才有五字印章，传世汉印如"广武将军章""校尉之印章"（见第三章），汉封泥如"丞相之印章"（见第三章）、"御史大夫章"（见第三章）、"武都太守章"，都是武帝太初以后新颁发的印章。

西汉时代这一整套的印章制度，一直沿用下去，中间如王莽执政时期，虽然曾经有过一次名义上和字数上的改动，但不久就恢复旧制度，并没有大影响。魏、晋易代，这一制度也没根本性的变动。因此汉印这一个体系，在我国历史上足足沿用了六、七百年，直到晋代逐渐用纸来代替竹木简，封泥失去了作用，都改用印色，到那时印章制度才起了大变化（参看第八章）。

三国、两晋官印的式样，完全沿用汉代旧制，只是官名有改变，印

图94　关外侯印

图95　亲晋羌王

图96　魏率善氐邑长

图97　马级私印

文笔势也随着时代的推移而稍有差异。汉印文字风格浑厚，魏晋以后渐趋单薄。历来论印章的都有同样的看法。这不是我们存在"厚古薄今"思想，理由是篆隶的应用，汉代人民有一定的基础，魏晋以后真行草书盛行，很少人学习篆隶，印篆书写技术自然退步。同时，研究古文字学的人日渐缺少，六书原则很少人懂得，印篆中杂参隶楷，随便变改笔画，这一情况大致与南北朝碑版文字离奇变化相似。那也是文字发展的一定趋势，不足为怪。

传世三国、两晋官印和封泥，数量也不在少数。今天确实可知属于三国时代的，如魏国的"关外侯印""魏率善氐邑长"；蜀汉的"虎步司马"；属于晋代的，如"亲晋羌王""京兆郡开国公章"；属于南北朝的，如"南乡太守章""梁博士印"。有些官印，还不易很快考知它确实属于哪一时代。

古代官印，佩在身上，既用它来封财物和文书，也用它作为装饰品。卸任时候，并不上缴，也不移交，把它佩带回家，死后随即殉葬。这与隋唐以后官吏交代制度不同。东晋安帝时，孔琳之奏请"官用一印"，就是反对这一制度，主张前后任移交印章，不另刻铸，可以节省经费。但这一建议当时并未见采用[1]。

私印，不似官印那样，在历史上有职官制度可考查，所以鉴定时代较难。龚自珍说："官印欲其不史，私印欲其史"[2]。意思是说，官印最好是历史上没有这一官名，可以补历史的缺载，这一官印更有价值。私印上的姓名最好是历史上有记载的，这一私印更有历史价值。传世官印出于历史记载以外者，我们所见比龚自珍更多。私印人名，在历史上有记载的倒不多，《汉晋印章图谱》有"卫青""贾山""郦商""公孙弘"等印，那是十分珍贵的。不过研究分析这件事是考古学上的事，这里只提一提，不多谈。

这一时期的印章，还有几个特点：一、钮式种类的加多。二、两面

1　见《宋书》及《南史》孔琳之传。
2　见《定庵文集补编》卷三《说印》。

印、子母印等新形制的通行。三、镀金镀银印的出现。四、印文或用一种花体，笔画屈曲缠绕，或说就是王莽时官定六书之一的"缪篆"[3]（第四章"缂伃妾娟"亦此体）。

《三国志·魏志》卷九《夏侯尚传》裴松之注引《魏氏春秋》记载，有印工杨利，印工宗养（亦见《太平御览》卷六八三引《相印书》）。这是我们今天仅能考见的比较早期的两位篆刻家的姓名，非常难能可贵，可惜他们的作品没有流传下来，或者虽然流传下来而不知道是哪一件。今天谈三国印，必须特地提出来（前章说到秦受命玺，李斯篆，王孙寿刻，不足信）。从这里知道，在漫长的阶级社会里，劳动人民创造过大量的精美的印章，绝大多数人姓名都被埋没了，那是多么不平的一件事。

---

3 《缪篆》有两种说法：其一说专指笔画屈曲缠绕的花体，其二是泛指汉晋官私印文。桂馥辑《缪篆分韵》就是用后一说。

第八章　封泥

　　封泥是古代印章盖在门户或包裹封口上的小块泥土,防止被别人打开或拆动,也称为"泥封"。它的作用,过去人曾把"米印"来比喻[1]。现在人们常用火漆封文件,盖上印章。拿它来比喻封泥,情况更相似。封泥这个名词,始见于《续汉书·百官志》。但其具体方式,后世知道的不多。清朝季年,四川、山东等处发现古代封泥遗物,当时的金石家还不识得,赵之谦《补寰宇访碑录》中,曾把封泥误认为"印范"。到了吴式芬、陈介祺合辑的《封泥考略》出版,大家才了解。泥的表面,有深深的印章钤痕,常见的是官玺、官印,也偶然有私玺、私印。泥的背面,也还留着当时绑扎绳子的痕迹,"有纵有横,有十字形,而以横者为多。其迹自一周以至五周,皆有之"(王国维《简牍检署考》语)。

　　近百年来,封泥已是金石家的工作对象之一。北京大学编的《封泥存真》,影印封泥墨拓之外,又影印封泥背面绳痕照片,是后出较好的一部封泥著录书。但人们对古代封泥的封缄形式,总还不知道。过去只从英人斯坦因著作中看到1908年新疆尼雅遗址发现的钤有

1　宋赵彦卫《云麓漫钞》卷十二:"……盖用以印泥,紫泥封诏是也。今之米印及印仓廒印近之。"

图98　封泥背面绳痕

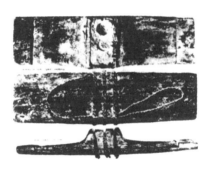

图99　新疆发现汉代木简装扎情况

"鄯善郡尉"印痕的汉代木简的图照（见On Ancient central—Asian Tracks, by Aurel Stein），无从看到实物。直到1972年，湖南省博物馆发掘长沙马王堆一号汉墓，出土一只硬陶罐，口部用草填塞，草外敷泥，上置"封泥匣"，封泥上钤有"轪侯家丞"四字印痕，并系有墨书竹签，写明罐内存贮食品的名目，这是明器，但与生前用品装置相同。这可说是我们第一次看到的汉人使用封泥形式的实物资料。第二次

图100　木简上所钤鄯善都尉封泥　　　　　图101　长沙发现轪侯家丞封泥

是1973年甘肃省博物馆发掘金塔县汉代"肩水金关"遗址出土的一个"封泥匣",封泥上钤有"居延右尉"四字印痕。前者是封存物品的封泥装置,后者是封存文书的封泥装置,都是极珍贵的资料,前一时期金石家篆刻家都不曾见到过。[2]

由于社会物质文化的发展,纸张、绢素的应用日益广泛,逐步代替了竹木简,促使印章的使用起了显著的变化,就是封泥逐渐废止,而印色逐渐通行。今天结合文献资料与实物资料来看,封泥与印色交替的过渡时期,应该在南北朝。

由小型白文官印改为大型朱文官印,这是封泥已被废止,印色普遍使用的标志。瞿中溶认为隋代还用白文小型官印。他所著《集古官印考》把仅收的一件隋代朱文大型"观阳县印"列在唐代,疑心背款"开皇十六年十月五日造"十个字是后人伪刻的。罗振玉

2　日本出版《书道全集》第三卷附录关野贞《封泥》一篇,有根据英人记载而绘出的木简封泥装置的图样,可备参考。

图102　观阳县印

《隋唐以来官印集存》著录隋代朱文大型官印有两方，"观阳县印"之外，加上一方"广纳戍印"（旧释"广纳府印"，不妥），背款"开皇十六年七月一日造"。此外日本人也藏有隋代"崇信府印"，背款是"大业十一年七月七日"，也是朱文大型的[3]。可见隋代已通用大型官印是事实。

北京图书馆所藏敦煌发现的六朝人写《杂阿毗昙心论》经卷钤有"永兴郡印"，也是朱文大型，风格与隋、唐官印相同。永兴郡只有南齐时代设置过，见《南齐书·州郡志》（罗福颐在《印章概述》中说到）。从现在实物看，朱文大型官印这一制度的开始，可上推到南齐。

王国维《简牍检署考》对此问题也曾考虑到。他说："……唯封泥之废与绢纸之始，殊不可考。……汉时门关之传，用木之外，兼用缣帛。《汉书·终军传》关吏予军缣，是也。《古今注》谓传皆封以御史印章，则缣亦当用印，或竟施于帛上，亦未可知。自后汉以降，纸素

3　见《书道全集》第二十七卷。

盛行,自当有径印于其上者"。此说出于推想,未有实物凭证,只能备参考。

封泥是古代印章直接打上的印痕,它的历史价值和艺术价值,与印章本身有同等的重要性。由于印章本身绝大多数没有留传下来,现在传世封泥上的印文,就是我们摹习与考证的直接资料。篆刻家多有拟封泥之作,那是近几十年的事,早些时候的人便没有这一条件。

第九章　图像印

　　本编第一章说到安阳发现的三件铜玺，玺文介在文字与图像之间，类似商代、西周前期铜容器上的族徽。由此演变而来，到春秋、战国、秦汉时代，向着两方面发展：一方面是铸有文字的官私玺、官私印；另一方面是单铸图像的图像玺、图像印。

　　玺印原来是为封缄财物或封缄门户用的，玺印上有文字或花纹不过是封缄者自己做的标志，为的是防止别人的开拆。那么，图像的功用同文字完全一样。只是文字除自己做标志外，还能使别人看得出封缄者是哪一人或哪一个集体单位，所以使用文字的玺印就比较多。

　　早期的图像印，图像比较简单。往后逐渐繁复进步，有人物、鸟兽、虫鱼、花叶、车马、建筑物，也有错综的图像，变化很多。更有配合文字而铸刻的，或在一边，或在两旁，或在三边，或在四周，不拘一式。在四周的，常是龙、虎、雀、龟四灵，世称"四灵边"。图像或用线条构成，或用凹凸面，也偶有浮雕的。浮雕的图像印，多属人像、佛像，创作时代较晚，大概在南北朝。当时用它来钤封泥，随版凹凸，形神毕肖。今天我们改用印色，便无法印出全貌。

　　南北朝时期，逐步废除封泥制，图像印仍然通行。这种图像印应属于花押印一类，花押印也可说是图像印的另一个体制（参看第十四章）。

图103　简单图像印

图104　张春

图105　复杂图像印

图106　少公

图107　日利

图108　赵多

第十章　唐、宋印

中国历史时期的划分，一般把秦汉至南北朝划成一个时期，隋唐以后又是一个时期。今天我们论印章制度，按它的发展过程，也可这样分期。秦代基本上奠定了八百年来官私印章的统一形式的基础。从汉到南北朝，一直沿用这一制度，很少有变动。隋代统一南北，年祚虽短，印章制度却来了一个大变动。这一大变动，并不是偶然的。由于物质条件变了，作为公私交接信用保证的印章的形式，自然不得不随之改变。

秦汉至南北朝的印章，继续战国的成法，还是用在封泥上，依靠印文凹凸做标志。一小块封泥，地位逼仄，当然印型都是小的。官印一般2.5厘米见方，也有大到3厘米的，但极少。私印一般2厘米见方，或者更小。印文绝大多数用"白文"——这是后世用印色钤出来以后的称谓，在当时叫作"阳文"，即封泥上见到的印文是凸起的（参看第四章）。南北朝时期，由于绢纸已经普遍通用，封泥制度逐步废止，印章蘸上朱或墨，盖在绢纸上。绢纸地位宽裕，印型随之也渐大，特别是官印，一般大到5厘米或6、7厘米见方，依官级高低而规定。印文纯用朱文，绝无例外。这也是物质条件不同的缘故。

隋、唐官印，传世尚多。《隋唐以来官印集存》凡收隋唐官印二十余印。篆法拙朴，另有风格。这当然是创制开始时期应有的现象，后

图109　世南

图110　真卿

图111　端居室

来才逐步加工，加精。隋、唐私印，传世极少。《吉金斋古铜印谱》收录"世南""真卿"诸印，是否虞世南、颜真卿之物，未敢遽信。《法帖》刻有"贞观"二字朱文连珠印，这是后世鉴藏印的开始（参看第十三章）。李泌曾有"端居室"三字白文印，这是后世室名印的开始（参看第十二章）。褚遂良摹《兰亭帖》用"褚氏"小印。僧怀素用汉代"军司马印"钤得意之书。窦臮《述书赋》中有一段论"印验"，列举唐代初期士大夫的印文，共有十一个例子。这批印绝大多数我们已看不到了。就我们看得到的"贞观""褚氏"等印文说，小篆工整，一定出于学人所书。

汉印印文遇到笔画稀少的字，偶然有屈曲填满的写法。宋代以后的官印，这一写法应用渐多，大大发展了。如传世"新浦县新铸

图112 新浦县新铸印

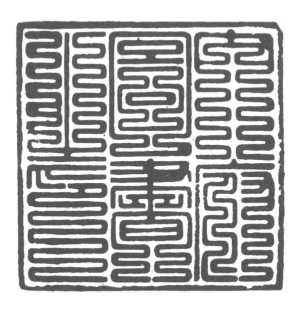

图113 内府图书之印

印"印文笔画牵连交织，相当匀称，另有一种美感。后来更有"九叠篆"的名称，屈曲盘旋，越来越缜密，当然也不是每个字都写成九叠，实际也有六叠、七叠、八叠以至十叠或十叠以上的。名为九叠篆，取其折叠多层的意义。这一格式，宋代已大发展，一直沿用到元、明，愈加呆板，看上去好像编织物，也像门窗花格，整齐划一，绝少天趣，没有多大艺术意义。

宋代私人印章，遗留在字画真迹或刊入法帖的，我们时有看到。如欧阳修"六一居士"朱文印，苏轼"眉阳苏轼""东坡居士"朱文

图114　六一居士

图115　楚国米芾

图116　似道

印，米芾"楚国米芾""米氏书印"朱文印，"米芾""宝晋斋"白文印，贾似道"似道"朱文印、"秋壑珍玩"白文印……例子不算太少。相传米芾所用各印都是他自己所刻。宋代文人画开始盛行，文人治印的苗头那时确实已经有了，这是值得重视的一件事。

图117　秋壑珍玩

图118　眉阳苏轼

图119　楚国米芾

图120　放翁

第十一章　词句印

　　词句印或称"闲章"。古代玺印中间就已经有此一格。古玺中如"千秋"，如"敬事"，这是二字词句印。如"正行无私"，这是四字词句印。又如"千秋万世昌"，是每面一字合成的五面词句印（见第四章）。这类印，汉印中更多，有些两面印，一面刻姓名，一面刻吉语，这也是词句印。如许昌、宋遂成等两面印，另一面都是"日利"二字。也有两面都刻吉语的。如一面刻"长乐"，另一面刻"大年"（或释"大幸"）；一面刻"长光"，另一面刻"常利"。也有三字、四字的吉语。如一面是两人背坐图像，另一面是"行道吉"三字（见第四章）；一面是"王宪将"姓名，另一面是"日入千金"四字。这一类例子不少，打开古代玺印谱，时有发现。

图121　千秋

图122　敬事

图123　正行无私

另外有多字词句专印，有的见于文献记载，有的有实物流传。《汉书·王莽传》："皇孙功崇公室……刻印三：一曰'维祉冠，存已夏，处南山，藏薄冰'。二曰'肃圣宝维'。三曰'德封昌图'。"顾氏《集古印谱》有"疢疾除，永康休，万寿宁"九字白文玉印（见第六章）。《十钟山房印举》有"宜官秩，长乐吉，贵有日"九字朱文铜印，又有"建明德，子千亿，保万年，治无极"十二字白文金印。

亦有姓名印而附带吉语者。蒋元龙《论印绝句》自注："铜小汉印，龟钮，白文'王君都，乐未央，富贵昌，宜侯王'。"桂馥《札朴》：

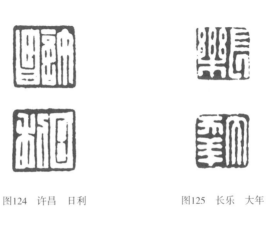

图124　许昌　日利　　　　　　　　图125　长乐　大年

图126　长光　常利　　　　　　　图127　日入千金　王宪将

"吾邑孔岸堂农部得一铜印,文十六字云'口子鱼印,承天德,获休禔,永安宁,传无极'。"以上都是前一时期的词句印。

后一时期盛行的词句印,也称为"成语印""世说印"。前后两时期词句印的作用与方式完全不同。前者佩在腰间,取其吉利,有时用它做标志。后者钤在绢纸上,用它来点缀字画。据记载,南宋贾似道有"贤者而后乐此"一印,印样未见,一般认为这是后一时期"成语印"的开端。元初赵孟頫曾有"好嬉子"三字印,元末王冕有"会稽佳山水"五字印。到了明朝文彭、何震的时代,由于篆刻形成了一门新兴的艺术,词句印便大量出现。张灏的《学山堂印谱》,周亮工的《赖古堂印谱》,汪启淑的《飞鸿堂印谱》,各人所收当代作品,都在千数以上。其中绝大多数是词句印。"努力加餐饭""痛饮读《离骚》"一类词句,彼此仿效,层出不穷,成为一时的风气。《赖古堂印谱》卷

图128 宜官秩长乐吉贵有日

图129 建明德子千亿保万年治无极

图130 会稽佳山水

图131 痛饮读离骚

一有高阜一篇序,其中一段说:"夫(李)斯(程)邈之书,可以峙山岳者,难充几案之娱,李(白)杜(甫)之篇,可以挥烟云者,难舒指掌之细。而约千言于数字,缩寻丈于半圭,不越径寸之中,而尽乎碑版铭勋赋诗乐志之胜,则惟图章为然。"这完全是为词句印说的。当时文人学者对待印章特别是词句印的态度,这段话已经说得很明白。摘取古人成语,寄托自己怀抱,词句印的作用,不仅仅在篆法刀法的欣赏而已。

　　清初篆刻作家踵事增华,有刻某书某篇全文,每句一印,合成专谱者。如聂际茂曾刻《司空图诗品印谱》二册,祁靖世、邢德厚皆曾刻《朱子家训印谱》一册,后来陈鸿寿也曾刻《陋室铭印谱》一册……这可说是词句印的别格。

第十二章　室名、别号印

　　室名是书室的名称,别名是人的别号,本来是截然分开的两件事。但历史人物往往把自题室名和自题别号合而为一,不易划分。例如:赵孟頫的书室是"松雪斋",他有时自署"松雪翁""松雪道人"。文徵明的书室是"停云馆",他有时自署"停云生"。丁敬的书室是"砚林""龙泓馆",他时常自署"砚林叟""砚林外史""龙泓山人"。因此,我们把室名印与别号印合在一起叙述,较为方便。

图132　松雪斋

明甘旸《集古印谱》卷五后列唐、宋、近代印十余方,其中有"端居室"三字白文印,下注:"玉印,鼻钮,唐李泌端居室,斋堂馆阁印始于此"(见第十章)。斋堂馆阁印始于李泌,这一说法历来研究印学史的一致承认,没有异议。唐人自题室名和别号的还不多,到了宋代,这一风气就相当普遍,有了室名和别号,一般就刻入印章,经常使用到笔札上。例如宋欧阳修有"六一居士"印,苏轼有"东坡居士"印、"雪堂"印,王诜有"宝绘堂"印,米芾有"宝晋斋"印,陈与义有"无住道人"印,姜夔有"白石生"印……元、明以来更多,已成文人学者的家常茶饭。我们翻开陈乃乾《室名别号索引》和商承祚、黄华合编的《中国历代书画篆刻家字号索引》,便可全面了解。清代章学诚在他所著的《文史通义》中曾专立《繁称》一篇,批评文人学者多立别号的不应该。但这一风气直到今天还存在于作家、艺术家中间,说明有它一定的用处,我们不能简单地看问题。

学者喜欢自题室名,但一个室名也不一定真的有此房室,有的甚至没有实在的房室,只把室名刻在印章上玩玩。文徵明曾说:"我的书屋多于印上起造。"明、清以来文艺界一直有此风气。

图133　停云馆

图134　龙泓馆印

第十三章　鉴藏印

　　隋、唐人鉴定法书真迹后，就在所鉴定的字迹上或副页上签名，表示负责鉴定的意思。传世王羲之、王献之等帖常有后世人的签名。特别如《奉桔帖》签名最多，有隋代的请诸葛颖、柳顾言、智果，宋代的欧阳修、韩琦等十余人。后来则多用印章来代替签名。

　　第十章曾说到唐太宗有"贞观"二字连珠印，后来唐玄宗也有"开元"二字长方印，这两颗印章虽未标出鉴定字样，却是鉴定性质，同时也是鉴藏印的开始。五代南唐国有"建业文房之印"。宋代有"大观"瓢形印（见第四章），"政和""宣和"长方印，"宣和"（见第四章）、"绍兴"连珠印，以及较大的"内府书印"方印。金代有"明昌

图135　开元

图136　政和

御览"大型印……都是鉴藏印。私人鉴藏印著名者如唐王涯有"永存珍秘"印,宋米芾有"米芾秘箧"印,王诜有"晋卿珍玩"印,蔡京有"蔡京珍玩"印,贾似道有"秋壑图书""秋壑珍玩"印(见第十章)……这些印章,或见于字画真迹,那是原迹;或见于各种法帖,那是摹刻的。大抵唐、宋诸印篆法稍疏,元、明以后渐求工致。鉴藏印的发展过程,大有"后来居上"的倾向。这道理,倘与复古主义、保守主义的人说,是不容易说清楚的(参看第三十七章)。

鉴藏印有云"某某图书""某某图书记"的,时间用久了,人们因以"图书"为印章的别名,直到现在。这样称法,实际是不妥当的(参看第三章之七)。

鉴藏印钤在善本图书或字画名迹上,忌用粗笔印,也忌用大阔边。理由是这些善本名迹非常珍贵,印文采取朱文细笔、细边比较适宜。米芾早曾说过:"印文须细,圈细与文等。我太祖秘阁图书之印不满二寸,圈文皆细。上阁图书字印亦然……近三馆秘阁之印,文虽

图137 建业文房之印

图138　宣和　　　　　　　　　图139　绍兴

图140　内府书印

细,圈乃粗如半指,亦印损书画也。"[1]今天我们对待历史文物,应持慎重的态度,无论题字钤印,都不宜草率,致污损文物。

1　见米芾《书史》。

图141　明昌御览

图142　秋壑图书

第十四章　花押印

花押印就是将花押式样刻入印章中，以代押字之用。

据记载，南北朝已用花押[1]。唐韦陟签押，草法牵还，很美观，时人称为"五朵云"。但还未将花押入印。花押入印，据说始于五代。明陶宗仪《南村辍耕录》卷二说，"(后)周广顺二年，平章李谷以病臂辞位，诏令刻名印用。据此，则押字用印之始也。"

花押印都用朱文，形式不一，有方形、圆形、长方形、葫芦形……传世花押印，最多是元代，世称"元押"。大都长方形，上一字是楷书姓氏，下一字便是花押。也有全用花押的。也有用蒙古文的。《南村辍耕录》又说，"今蒙古色目人之为官者，多不能执笔花押，例以象牙或木刻而印之。"他指出了元代使用花押印的最初原因。我们见到的元押，多带汉姓，多属铜印，那一定是后来发展的情况了。这种花押印，传世相当多。过去旧货摊上时常见到的。清代文人学者遇见和自己同姓氏的元押，不问下面花押所押何字，就买取自用。彼此效仿，成为风气。也有篆刻家参照这种体势自刻花押印者。

传世其他形式的花押印，铜质、玉质皆有之，下边多作粗笔横画，不知何意。也有无横画的。这些花押印惜不能考知其明确的时代。

1　齐高帝使江夏郡王学凤尾，凤尾即花书。见高似孙《纬略》。

吴大澂在《古玉图考》中著录的龙钮青白玉大印，乃是明思宗的签押。明思宗遗墨中也曾有亲笔签押如此样，便是一个有力的证明。

图143　彭押

图144　有粗画的元押

图145　明思宗签押

第十五章　印材与印色

卫宏《汉官仪》载："秦以前民皆……以金、银、铜、犀、象为方寸玺。"（参看第三章之一）传世战国官私印绝大多数是铜质，亦有玉印、石印，但犀、象尚未见过。秦汉至南北朝这一时期印章仍旧用在封泥上，最多见的也是铜印，间有玉、金、银、铁、铅、水晶、滑石、陶泥等。官印印材各时代都有一定的制度，不能僭越。其等级次序，玉最贵，金次之，银又次之，一般官员都是铜质。私印印材则未闻有何种规定。

隋唐以后，官印钤盖在绢纸上，印型渐大，印材亦有一定的制度，一般官员仍是铜质。宋代官印有用瓷的，则是新兴印材。私印印材有黄杨、檀香、竹根、玛瑙、琥珀、花乳石……取材更广，但主要印材元以前是玉、牙、角，明以后则是花乳石。

明郎瑛《七修类稿》说："图书，古人皆以铜铸，至元末会稽王冕以花乳石刻之。今天下尽崇处州灯明石，果温润可爱也。"朱彝尊《王冕传》亦有"始用花乳石治印"的话。用花乳石作印材，确是一个大发明。明、清以来印学的昌盛，与花乳石的应用有密切的联系。花乳石质地不十分坚硬，易于运刀。我们看到王冕书画作品遗迹，所钤各印，大都奏刀从容，胜过前人。

明季文彭治印，起初也用牙、角，可见那时花乳石的应用还不普遍。后来尢意中得到大量的花乳石印材，方才弃去牙、角，专用冻石，而冻石之名也因此大著。周亮工《印人传》卷一《书文国博印章前》，有这样一段故事：

"余闻国博在南监时（文彭官南京国子监博士），肩一小舆过西虹桥，见一蹇卫（蹇卫是驴子的别称）驮两筐石，老髯复肩两筐随其后，与市肆互诟。公询之，曰：'此家允我买石。石从江上来，蹇卫与负者须少力资，乃固不与，遂惊公'。公睨视之曰：'勿争，我与尔值，且倍力资。'公遂得四筐石。解之，即今所谓灯光也。下者，亦近所称老坑是。祺中（汪道昆）为南司马，过公，见石累累，心喜之。先是公所为印，皆牙章，自落墨，而命金陵人李文甫（石英）镌之。……自得石后，乃不复作牙章。祺中乃索其石满百去，半以属公，半浼公落墨，而使何主臣（震）镌之。于是冻石之名始见于世，艳传四方矣。盖蜜蜡（冻石一种的名称）未出，金陵人类以冻石作花枝叶及小虫蟹，为妇人饰。即买石者亦充此等用，不知为印章也。"

花乳石是一个总名，产自各地，因地得名，品日繁多。主要有青田石、寿山石、昌化石等。浙江青田刘山产量最丰富。佳者半透明，世称"冻石"，并有"灯光冻""鱼脑冻""蜜蜡"等各种不同名称。寿山石产福建福州城北六十里芙蓉峰下，多白色，亦有黄色，世称"田黄"，最名贵。昌化石是浙江昌化产品，青浆中带红块，如鸡血，故亦称"鸡血石"。以上三种印石最有名，他处产品亦多有，不一一详述。

隋唐以后印章通用"印色"，也称"印泥"。这里所称的泥，与前一时期的封泥，完全是两回事，不可混为一谈。印色，主要是朱色。但最初用墨色，后来通行朱色，也偶然用赭色、青色。唐时官印有称"朱记"者。桂馥说："唐时印泥非一色，印文曰朱记，以别于他色耳。"（《札朴》卷八"唐留后印"条）戴启伟说："印泥用朱，此大凡也。宋儒在制中有用墨者，元人则有用青者。"（见《啸月楼印赏》）今所见五代及宋人钤印，如唐韩幹《牧马图》朋页所钤南唐后主的"集贤院御书印"、五代巨然《秋山问道图》挂轴所钤"蔡京玩赏"印，都是墨印。晋人（？）曹娥碑墨迹卷后所钤元"柯九思""乔氏簠成"等印，也是墨印。明季篆刻家胡曰从自刻印谱，有全谱用墨印者，题曰"玄赏"。以上所见墨印，恐未必都是居丧关系。现在到处通用朱色，墨印极少见。

印色的质地，宋代一般是用蜜调朱，使用时将手蘸朱，粘上印面，然后钤入绢纸。元人多用水印，即是用水调朱。明朝初期开始有用油印泥者。以上根据徐森玉先生鉴古的经验，与明人曹昭《格古要论》所记基本上符合，但曹氏未说明确切年代。

第十六章　印款

　　印旁刻款，这是晚起的格式。隋代官印，有在印背加刻铸造年月的，世称"背款"，应当是最早的印款了。印学家在印的旁边题刻款字，则溯源于明代。

　　印款，除题刻年月姓名外，有时还加上其他词句，类似跋语。一面刻不完，有刻二面、三面、四面、甚至连石顶共刻五面者。一般称为"旁款""过款"，刻在顶上者则称为"顶款"，也有通称为"印跋"的。

　　文彭的印款，据说用"双刀法"，先写款字，然后依墨下刀，每一笔双面着刀，犹如刻碑。传世文彭印多伪品，《小石山房名印传真》收文彭刻数印，并拓印款，虽未必可信，估计其体制是这样的。何震继起，有时用文彭双刀法，有时则开始用"单刀法"，不先用笔墨写款字，操刀便刻，每一笔只刻一刀，一边是光整的，另一边任石块碎落，听其自然，字体钝拙，富有天趣。以上专就石章说。如属象牙、牛角，当然只有用双刀一个方法。明末清初一批印人，石章边款不论篆隶真草，还是多数用双刀法。直到乾隆年间，丁敬开始全用单刀法。蒋仁、黄易以下，师法丁氏，渐益加工。陈豫钟好作密行细字。赵之谦有时刻阳款。吴熙载"师慎轩"三字朱文印，署款于印面"轩"字两脚的底隙（不易椎拓）。文人游戏，花样翻新。今天我们论篆刻，除印面外，同时还论到印款，好比绘画的落款，不但已经成为整个作品中不可缺少的一环,而且更增加了欣赏的内容。

　　印款词句也必须研究,小小天地,不允许多说废话。这好比画上题款,要简练清隽,耐人玩味,印款文辞与书法的精美,也有助于增加

图146　文彭刻款

图147　何震刻款

图148　丁敬刻款

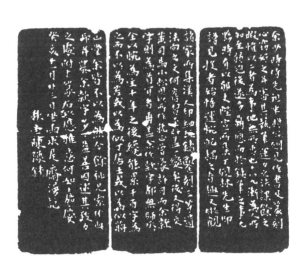

图149　陈豫钟刻款

图150　赵之谦刻款

印章的艺术价值。画款有题诗词韵语的，印款同样可以。赵之谦对印款极为重规，有时作骈偶数联，名隽可喜，曾经传诵一时。过去有人选辑名家印款成为一本，如魏锡曾辑《砚林印款》即是，说明印款也是一种文艺作品。

下编　　印学体系

第十七章　印学的形成

　　印章的发明与使用，历史悠久，上面已说过。由实用的印章逐步变成美术作品，那是唐以后的事。再进一步而成为一种专门学术，即印学，亦称篆刻学，更是近七、八百年的事。

　　唐窦臮在《述书赋》论"印验"一段文章中，列举当时士大夫的印文共有十多个例子（参看第十章）。历代所传法书名迹，通过这些名人学者的鉴定，加钤印记，不但留一"印验"，提出保证，同时还锦上添花，增加美感。不过那时这种风气还不算太盛。

　　宋代"文人画"盛行，把诗、书、画结合起来，成为综合的艺术形式。最后还加上印章，美术的含义就更丰富。印章本身也从此变成一种美术作品。

　　古代铸印刻印，都是工人专业。前面说到三国时代有印工杨利、印工寺宗，他们一定能篆能铸，这便是我国早期的篆刻家。唐末有铸印官祝思古，世习缪篆。传孙祝温柔，仕宋，重铸官印。见《宋史·舆服志》。祝氏祖孙也都是篆刻家。后唐庄宗制宝二座，诏冯道书宝文。宋英宗时制"受命宝"，命欧阳修篆其文。他们只会篆，不会刻。当时统治阶级郑重其事地制造玺宝，必然找名手来镌刻。这些名手，只会刻，不会篆。只有米芾一代才华，书画鉴古皆第一流。相传他所用印章出于自己一手篆刻。他能写篆书，对印法初步有讲究,则是铁的事实。

今天论印学的形成,可以溯源到米芾。

第十八章　米芾

　　米芾（1051—1107），字元章，号海岳外史，又号襄阳漫士，（湖北）襄阳人。宋徽宗时，任书画学博士，擢礼部员外郎，出知淮阳军。礼部郎官旧称南宫舍人，所以世称米芾为"米南宫"。他是宋代的文学家，又是大书家、大画家。家富收藏，精鉴赏，自题所居曰宝晋斋。著有《宝晋英光集》《书史》《画史》《宝章待访录》等书。《宋史》入文苑传。

　　米芾擅长真、行、草书，并能篆、隶书。我们看到过宋拓宋装的《绍兴米帖》第九卷，全是篆、隶书。宋人能写篆、隶书的不多，以今天的眼光看来，他的篆、隶书远不如真、行、草书高妙。世传他所用印出于自己一手篆刻。当时印材用的是牙角晶玉，质地坚硬，不易受刀，说他自己作篆没有问题，至于镌刻手续，有人怀疑还是假手于工人。我们观察他自用诸印，多数镌刻粗糙，与他同时代的欧阳修、苏轼、苏辙等人的印文镌刻工细相比，大不相同。说他自己动刀，也可相信。他对印学已经相当讲究了，《书史》《画史》中有他好几条论治印、用印之法。他主张鉴藏印要用细文细圈（即细边）。有一条说："王诜见余家印记与唐印相似，始尽换了作细圈，仍皆求余作篆"。我们所见他的墨迹与经藏书画上所用的印，或一颗，或两颗、三颗，甚至连用七颗。如故宫所藏《兰亭》褚摹本米芾跋，一处连用"米黻之印""米姓之印""米芾之印""米芾""米芾之印""米芾""祝融之后"之印。这种款式，以往所无，后世也少有。不过他所作的篆杂用古文、小篆、九叠文，拙朴有余，工能不足，还是"大辂椎轮"。这是时代的局限性。

有人认为米芾对印章可能只篆不刻，不是正式的印学家，不用说这话未必是事实，即使是事实，我们要问：元代赵孟頫、吾丘衍不也是只篆不刻的吗？过去论印学名家都从赵、吾谈起，而不上推米芾，我们认为这是不符合实际情况的。

图152　米芾　米芾之印

图153　米芾　米姓之印

图154　米芾　米黻之印

图151　米芾　米芾

图155 米芾 米芾之印

图156 米芾 米芾

图157 米芾 祝融之后

第十九章　赵孟頫、吾丘衍

赵孟頫（1254—1322），字子昂，号松雪道人，（浙江）吴兴人。元初官翰林学士承旨，封魏国公，谥文敏。他是一位诗人，又是大书家、大画家。著有《松雪斋集》。《元史》有传。

赵孟頫所篆印文，纯用小篆，朱文细笔圆转，姿态柔美，世称"圆朱文"。陈鍊说："其文圆转妩媚，故曰圆朱。要丰神流动，如春花舞风，轻云出岫。"[1]这话说得淋漓尽致，但这一体在当时毕竟还是初期作品，圆转之中，仍带拙朴气息。后世摹效此体者，踵事增华，愈加精工，拙朴之气也就少了。赵孟頫的作品多是朱文印，很少白文印。如"赵""赵孟頫印"（回文）、"赵氏子昂"（见第四章）、"松雪斋"（见第十二章）、"大雅""水精宫道人""管道昇印"（回文）、"仲姬""赵管""魏国夫人赵管"，皆朱文印。"孟頫"和另一颗"赵氏子昂"是白文印。都可以在他和他夫人管道昇的书画上见到。还有"好嬉子"三字印，只见记载，未见印样。

吾丘衍（1272—1311），亦作吾衍，字子行，号竹房，又号贞白居士，元初（浙江）衢州人，侨寓杭州。好古博学，隐居教授自给。廉访使徐琰来访，不接见。后以姻家讼累被逮，义不受辱，赴水死。著有

1　见他所著《印说》。

图158　赵孟頫　赵

图159　赵孟頫　赵孟頫印

《尚书要略》《周秦刻石释音》《学古编》《印式》《九歌谱》《十二月乐谱》《竹素山房集》等书。《新元史》入文苑传。

　　吾丘衍年龄少于赵孟頫十八岁,与赵孟頫为文字交,旧学商量,时有往还。赵孟頫篆刻专作圆朱文,吾丘衍论印也主张以小篆为基础。古文字学在宋、元时代是一个衰落时期。吾丘衍所著《学古编》,其中主要部分《三十五举》,是我国最早出现的研究印学的理论指导书。《三十五举》中,前十七举论写篆书之法;第十八举以后皆论刻印,介绍自己的创作经验,相当具体。当时所能看到的古物不多,此书有一定的局限性。但它首先指出"凡习篆,《说文》为根本。能通《说文》,则写不差"(四举)。又说,"汉篆多变古法,许氏作《说文》,救其失也"(十六举)。这话十分正确。吾丘衍的时代,懂篆法的人极少,他这种复古思想,对当时印学的发展,俱有积极的意义。无怪《三十五举》一书,在当时及后来很长一个时期,印学界人手一编,看成是经典著作。明何震有《续学古编》,清桂馥有《续三十五举》《再续三十五举》,吴咨、黄子高都有《续三十五举》,姚晏也有《再续三十五举》,吾丘之学,一直被印学家推崇如此。

　　夏溥是吾丘衍的早年朋友,他写《学古编序》,述吾丘衍在杭州设塾课徒等生活情况较详。说到他治印方面:"私印有'竹素山房''吾氏子行''我最懒''放怀真乐''飞丹霄',此数印串印鼻小韦带,常在手摩弄之。"又说:"……遂变宋末钟鼎图书之谬,寸印古篆,实自先生倡之，直第一手，赵吴兴又晚效先生耳。"夏溥指出赵孟頫晚效吾丘衍，此事少人知道。看情况吾丘衍功夫深，赵地位高，两人互有影响是事实。

吾丘衍篆刻作品流传极少，夏溥所举诸印，今天都无从看到。我们仅于传世的杜牧《张好好诗卷》后面，看到他的篆书观款和印章。篆书"大德九年吾衍观"七字极工，体势近《石鼓文》。两印"吾衍私印""布衣道士"皆白文，也得汉印神髓。不失为一代宗师。

从元到清六百年来印学不断发展，米芾、赵孟頫、吾丘衍三人实有"筚路蓝缕"之功。

赵孟頫、吾丘衍两人的印，还都是只写篆文，交别人镌刻。

与赵、吾同时的印人，还有钱选、吾叡、褚奂等人。钱选年辈比赵孟頫长，赵孟頫曾从他学画。他的篆刻，从他字画中自用印看，比较粗拙，可能是他自己刻的。吾叡、褚奂是吾丘衍的学生。吾叡即吾孟思，治金石学有名，所写篆隶书很有功夫，今天还看得到他的墨迹。传世第一部印谱宋王厚之《汉晋印章图谱》，就是他所校定，故亦称《吴氏印谱》。吾叡、褚奂二人篆刻则未见（《小石山房名印传真》首列褚奂所刻一印，不像元人作品）。

图160　吾丘衍　吾衍私印

图161　吾丘衍　布衣道士

第二十章　王冕

王冕(?—1359),字元章,号煮石山农、饭牛翁、会稽外史、梅花屋主,元末浙江诸暨人。牧牛出身,后在僧寺做工,夜坐佛膝上映长明灯读书。会稽韩性闻而异之,录为弟子,遂成通儒。曾游北京,客秘书卿泰不华家。泰不华拟荐以馆职,力辞不就。归隐九里山,卖画为生。明太祖下金华,招至幕中,一夕病卒。著有《竹斋诗集》。《明史》入文苑传。

王冕开始用花乳石刻印(参看第十五章),这一发明,为印学创作提供了有利条件。在此以前,文人学者治印,只注重篆法,镌刻之役,一般假手于工人。自从花乳石用作印材,由于石质比较松脆,容易受刀,从写篆到奏刀,把篆刻创作上的两个过程用一手来完成,就成为文人学者的常事。这件事对明以来的印学大发展起了莫大的推动作用。

传世王冕所画梅花真迹,我们还能看到几幅。他的篆刻,从他画幅中见到的,有"王冕私印""王元章氏""王冕之章""王元章""元章"(大小两方)、"文王孙""姬姓子孙""方外司马""会稽外史""会稽佳山水"等印,皆是白文。"竹斋图书"是朱文。仿汉铸凿并工,奏刀从容,胜过前人。其中"方外司马""会稽外史""会稽佳山水"(见第十一章)三印意境尤高,不仅仅参法汉人,同时有新的风格。如不是利用花乳石,断没有这一成就。世人把文彭的提倡印学和唐代韩愈"文起八代之衰"相提并论,实际上米芾已曾自篆自刻,钱选也似自刻。王冕治印,毫无疑义是个专门家。王冕死后一百四十年,文彭才出世。只是由于当时无人传王冕衣钵,且不如文家声气之广,所以知道的人不多。

图162　王冕　王冕私印

图163　王冕　王元章氏

图164　王冕　方外司马

第二十一章　文彭

　　文彭和何震是明代杰出的印学家,世称"文、何"。何震年辈较晚,与文彭的关系,在师友之间。现在先介绍文彭。

　　文彭(1498—1573),字寿承,号三桥,江苏苏州人。他是明代著名的文学艺术家文徵明的长子。文徵明和他的儿子文彭、文嘉都擅长书画篆刻,文彭对篆刻更有突出的成就。他官南京国子监博士,后来又调北京国子监博士,世称"文国博"。《明史》附《文徵明传》。

　　元代赵孟頫、王冕主要以画名家,篆刻被画名所掩,作品也不多。吾丘衍篆刻理论影响较大,而作品极少见。到了文彭,一生精力多用在篆刻方面,当时作品流传很多。所篆雅正秀润,风格遒上,被推为一代大师。周亮工《印人传》卷一《书文国博印章后》有云:"……印之一道,自国博开之,后人奉为金科玉律,云礽遍天下。"文彭以后,印学人发展,四百年来,影响到全国,甚至传播海外。周亮工这话完全符合事实,并无夸大之处。

　　《印人传》同篇又记载了文彭治印,初用牙章,自篆其文,请别人奏刀。有一次于无意中获得青田石四筐,从此不再用牙章,专刻石章(原文见第十五章所引)。我们从各家所作印章的迹象来观察,印学家把篆与刻两个过程由自己一手来解决,不假手于别人,这件事,米芾、钱选还在尝试,王冕可说是第一家,文彭便是第二家。从此以后,青田石章大量使用,所有印人无不自己动刀镌刻了。

传世文彭篆刻,伪品极多,鱼目混珠,很难鉴别。《印人传》卷一《书梁千秋印谱前》说:"文国博为印,名字章居多,斋堂馆阁间有之。"雍正年间,金一畴在《珍珠船印谱初集自序》里也说:"衡山先生(文徵明)两世手笔,未得其真迹。……近时伧父率为细密光长之白文,伪称文氏物。好事者多不识也,宝而藏之。三桥有知,能无齿冷。"后来魏锡曾《书印人传后》更说得干脆:"国博印独有诗笺押尾'文彭之印''文寿承氏'两印真耳。未谷先生(桂馥)论文氏父子印,亦以书迹为据。令人守其赝作,可哂。栎园(周亮工)相去不远,所辑当不谬,竟不得见,则终不得见矣"(见《绩语堂题跋》)。今天所见文彭词句印相当多,有可能全是伪品。我们为审慎起见,也只用他的墨迹押尾名字印作为他的手刻举例。如要全面了解文彭印法,还可以从他父亲文徵明、弟弟文嘉传世墨迹上所用各印得到一个总的概念。

图165　文彭　文寿丞氏

图166　文彭　文彭之印

图167　文彭　七十二峰深处

图168　文彭　琴罢倚松玩鹤

第二十二章　何震与新安印派

　　新安印派，亦称黄山派、徽派、皖派、皖宗，是历史上印学两大派系之一（其一是西泠印派，亦称浙派、浙宗）。

　　历来论印学史者，对新安印派有三种说法。有人认为何震是徽州第一个杰出的印学家，应是这一印派的开山祖师。也有人认为程邃是"歙四家"的领袖，他的印法，参酌古文籀体，从多方面吸收营养，力变文、何旧体，自成一家面目，后生继起，实繁有徒，应推程邃是徽派的祖师。更有人只认邓石如是徽派，把真正徽州地区二百年来好多辈老作家都一笔抹杀了（参看第三十二章）。后说当然不够妥当，前两说则各有其理由。我们意见：何震继承文彭，一变文彭风格。从嘉靖到明末约有一百年，程邃未成名以前，徽州及徽州以外各地印学家风起云涌，除有少数径师文彭，以"文派"相标榜外，其余大多数人则继承何震的衣钵。这批作家，我们不能熟视无睹。周亮工《印人传》说："自何主臣（震）继文国博起，而印章一道遂归黄山。久之而黄山无印，非无印也，夫人而能为印也。又久之而黄山无主臣，非无主臣也，夫人而能为主臣也"（卷二《书程孟长印章前》），足见何震一派影响的巨大。程邃新体，上承朱简，下开汪肇龙、巴慰祖、胡唐，世称"歙四家"。新安印派的改进与发展，前后有一百多年的历史。我们认为，何震与"歙四家"先后代表两个时期的徽派，这是合理的说法。

何震（约1541—1607），字主臣，一字长卿，号雪渔山人，安徽婺源人（原属徽州，民国二十三年，即公元1934年划属江西省），有时住南京，从文彭游，两人关系在师友之间。文彭开创印学，何震继之，风气益盛。何震手刻印谱未见，所著《续学古编》，与吾丘衍原著并行，印学界人手一编。何震成名后，尝客北方，"遍历诸边塞，大将军以下皆以得一印为荣，囊金且满。"（《印人传》语）卖印生活，他过得很不错。何震印学，受之于文彭，两人齐名，而各有其风格。大概何震作品除继承文彭一体外，风貌较多。文家喜用室名印，偶用词句印。何震这类印刻得更多。后生慕效，成为一时风气。传世何震手迹虽比文彭稍多，但也真伪混杂，不易鉴别。程原、程朴父子选摹的《何氏印选》（亦名《忍草堂印选》）一册，是何震去世二十多年后程氏父子从所征集的遗刻五千多方中选取一部分摹刻的。我们看法，程原选印未必全真，或者只凭主观爱好，多收其师法文彭一路，也未可知。周亮工《印人传》说："印章，汉以下推文国博为正灯矣，近人惟参此一灯；以猛利参者何雪渔，至苏泗水（宣）而猛利尽矣。以和平参者汪尹子（关），至顾元方（听），邱令和（玏）而和平尽矣"（见卷一《书沈石民印章前》）。检阅程摹《印选》，就感到表现猛利之风者很少。另外，周亮工讥评梁袠"摹何氏'努力加餐''痛饮读《骚》''生涯青山'之类，令人望而欲呕。"（见同卷《书梁千秋印谱前》）说明何震生平常刻此类词句，但程选中未收一方。顾湘《小石山房名印传真》收录何震"柴门深处"四字白文印，表表绝俗，当得起猛利二字，应是真迹。程摹谱中此类作品就看不到。以上可证明程摹《印选》有一定的局限性，无从领略何震篆刻的全貌，更谈不上全神。

何震的时代，第一部著名的顾从德《集古印谱》出版了（最早印本是隆庆六年，当公元1572年，何震大约三十多岁）。这是一部最先问世的古代铜玉印钤红本大总集，凡六册，共收印一千七百多方。何

图169 何震 柴门深处

震篆刻，风貌较多，局面开拓不少，主要就是得到这部印谱的启发。何震以后，印人蔚兴，盛极一时，这部印谱的确起过莫大的推动作用。初次出版的钤印本只有二十部。顾从德当年是请王常协助编次的。由于社会上需要的广泛，万历三年（1575）用木版摹印，大量供应。同时王常也用自己的名义加以增改，另编出版。所以传世有顾本、王本之别，有朱刷本、墨刷本、朱墨套印本之别。还有《顾氏芸阁集古印谱》《顾氏印薮》《王氏秦汉印统》等不同名称，实际是同一部加以增改。《王氏秦汉印统》最后出，收印近四千方之多。顾氏《集古印谱》的出版，是印学界的一件大事。今天谈印学史，必须特别提到。（顾从德，字汝修，上海人，著名收藏家。王常，字延年，一字幼安，原姓罗，有时自署罗王常。有人说，罗王常是罗龙文之子，歙县人。原名南斗，亡命至松江，改姓名。）

何震同时人沈德符曾说："自《顾氏印薮》出，而汉印衰聚无遗，后学始尽识古人手腕之奇妙。然而文寿承博士（彭）以此技冠本朝，

图170 何震 放情诗酒

图171 何震 笑谈间气吐霓虹

图172 何震 听鹂深处

固在《印薮》前数十年也。近日则何雪渔所刻，声价几与文等，似得《印薮》力居多。然实不逮文。"（见《万历野获编》卷二六）每一艺事的开创与发展，功夫不同，效果也不同。所以文、何的身价高下，后人未易定评。

第二十三章 苏宣、梁袠

苏宣（1553—1626以后），字尔宣，又字啸民、朗公，号泗水，安徽歙县人。著有《印略》三卷，凡二册，万历四十五年（1617）出版。

苏宣篆刻，师事文彭，同时受何震影响。周亮工《印人传》说到文彭印学，"以猛利参者何雪渔，至苏泗水而猛利尽矣。"苏宣本人自述学印的历程说："……乃取六书之学博之，而寿承先生则从谀之，辄试以金石，便欣然自喜。既而游云间（松江）则有顾氏（从德），檇李（嘉兴）则有项氏（元汴），出秦汉以下八代印章纵观之，而知世不相沿，人自为政。如诗，非不法魏晋也，而非复魏晋；书，非不法钟王也，而非复钟王。始于摹拟，终于变化。变者逾变，化者逾化，而所谓摹拟者逾工巧焉。"（《印略》自叙）这段话说得很有道理，符合文艺发展的规律。传世《印略》二册，便是苏宣的专谱。在取法文彭、何震的基础上，远规汉晋，爽朗蕴蓄，韵味深厚。何震的猛利之风，在他谱中也可以想象得之。

何派作家中，世推梁袠得其嫡传。

梁袠（生卒年未详），字千秋，江苏扬州人，住南京。著有《印隽》四册，万历二十八年（1610）出版。

《印人传》说梁袠"继何震臣起，故为印一以何氏为宗"（卷一《书梁千秋印谱前》）。梁氏治印面目较多，估计他是谨守师法的，与

图173　苏宣　梅花屋

图174　苏宣　尘外遐举

图175　苏宣　真率斋

图176　苏宣　鄂鞾轩

苏宣逞才使气有所不同，但也不是死学何震。《印人传》说"千秋自运，颇有佳章，独其摹何氏'努力加餐''痛饮读《骚》''生涯青山'之类，令人望而欲呕耳"（见同篇）。可惜何震真谱不易得见，周亮工说梁袠"自运颇有佳章"，指的是哪些？今天检开《印隽》，无从参校得之。这是一件憾事。

　　文、何以来，印人辈出，或亲炙二家，或私淑诸人，门户之见，就不能免。有些人自我标榜直接文彭的"正传",所以有"文派""三桥派"之称,以与"何派""雪渔派"相颉颃。也有人推重苏宣,别立"泗水派"之名。各支派的人名,各处论列也有异同。据朱简《印经·缵绪篇》所列,主要有:

璩之璞　陈万言　李流芳　徐象梅　归昌世

以上三桥派。

吴正旸　吴忠　刘梦仙　梁袠　陈賨　沈庆余　胡正言　邵潜

图177　梁袠　何震

图178　梁袠　采芝馆

图179　梁袠　西方老胡

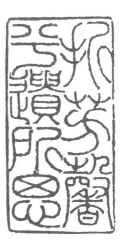

图180　梁袠　折芳馨兮遗所思

以上雪渔派。

程远　何通

以上泗水派。

罗王常　杨当时　汪徽　甘旸

以上别立营垒。

（朱简原文题各人姓字，这里改题姓名。原文列叙人数较多，这里只摘录比较有名的。）

上列姓名，除"三桥派"外，实际都隶属于新安印派。本书不采旧说，免多争执。

第二十四章　汪关

（林皋附）

　　汪关（生卒年不详），字尹子。原名东阳，字杲叔，因得汉汪关铜印而改名。安徽歙县人，寓江苏娄县。著有《宝印斋印式》二卷，万历四十二年（1614）定稿。

　　周亮工《印人传》对汪关评价相当高。他论印章自文彭以后分猛利、和平两派，"以猛利参者何雪渔"，"以和平参者汪尹子"（见第二十二章）。将何、汪并称，谓同得文彭的传授。我们认为，大凡文学艺术，都有这样的两派。姚鼐论古文分阳刚、阴柔两派（见他《答鲁絜非书》），是同样的道理。两派各有其美，不能偏废。汪关治印，对古玺、汉印的基本功夫极深，渊静工致，用刀光润，是其特点，所作圆朱文，更有"出蓝"之誉。后世或厌弃各家，专嗜汪氏，推崇他直接文彭的"正传"，并称文、汪。可见这一派给予后来的影响也不小。

　　汪关一派印学家人数不多，但细水长流，代有作者。汪关之子汪泓，字弘度（生卒年不详）。父子二人皆尝客张灏的"学山堂"。《学山堂印谱》中对汪关有贬词，说他"素不解奏刀，每潜令其子代勒以溷世，遂浪得名。"这是有意的诬蔑，周亮工已斥其不实（见《印人传》卷二《书汪尹子印章前》）。《宝印斋印式》传世甚少，我们见过三部。

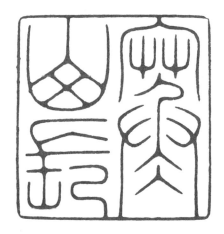

图181　汪关　寒山长

图182　汪关　董玄宰

图183 汪关 李流芳

图184 汪关 师古斋

两部皆是二卷,第一卷是藏印,第二卷系自刻印。又一部大约是他的底稿,经后人改装,分类剪贴,共有十二册,末册都是墨篆,亦是他谱所未见。

传汪关之学者,清初林皋最擅名。

林皋(1658—1726以后),字鹤田,亦作鹤颠,福建莆田人,住江苏常熟。有《宝砚斋印谱》二册,康熙十二年(1673)出版。上册皆是序文,下册才是印迹。清初印风渐趋卑靡,追求装饰,少讲法度。林皋继承汪关,自具信心,不肯随波逐流。汪启淑《续印人传》说:"两浙久沿林鹤田派,钝丁(丁敬)力挽颓风"(见《丁敬传》)。对这一派印学有贬词。大凡名家作品,一传再传,渐失故步,末流所归,便觉黯然少味。不独林皋印法如此。近代赵时棡独崇汪关,后生继起,加工加精。证明这一派印学也正在发展,代有传人。

图185　林皋　剪破湘山几片云

图186　林皋　晴窗一日几回看

图187　林皋　碧云馆

图188　林皋　出山云满衣

图189　林皋　碧梧翠竹山房

第二十五章　朱简

　　朱简（生卒年不详），字修能，一字畸臣，安徽休宁人。著作详后。

　　他的时代，顾、王二氏《集古印谱》已风行，木刻传摹，失却真面。他曾从陈继儒游，看到各家收藏的大量古印的原钤真谱，精心赏析，于万历二十八、二十九两年（1610、1611），先成《印品》二集，上集摹刻古玺，下集摹刻汉印，分体品次，示人楷式。后来又著《印章要论》一卷，《印经》一卷，谈印学理论，多有卓识。当时印学界认为"先秦时代未尝有印"，他在谱中与文中称朱白文小玺为"先秦以上印""三代印"。虽然时限太宽，但最早指出这批不是秦印，这个识见是了不起的，值得我们重视。

　　朱简创作印谱，题名《菌阁藏印》，凡二册，天启五年（1625）出版。名为"藏印"，实际都是自己创作，并非收藏他人作品。统览全谱，面目很多，自战国至元、明各种体裁，灵活运用，涉笔成趣。特别是他多用"碎刀"，笔笔钝拙而不光整，可说是一种创体。董洵曾说："余向藏朱修能《印品》《菌阁藏印》二种，其印有超出古人者，真有明第一作手"（见《多野斋印说》）。魏锡曾亦说："修能用凡夫（赵宧光）草篆法，笔画起讫多作牵丝，是其习气，从来所无。"又说："修能碎刀为钝丁（丁敬）滥觞。"（皆见《绩语堂论印汇录》）可见他的作品不仅造诣高，而且对后来巴慰祖的刀法不无影响，再后对西泠印派的兴起，更有所启发。周亮工的《印人传》虽无朱简专篇，但《印人传》乃未竟之稿，书末附记几十个"印人姓氏"，很明显是他待写而未写的人。这里把朱简列在第一，证明他是首先准备写的。周亮工在叙述别人的篇中，提到朱简，就有很高的评价。如说："斯道之妙，原不一趣。有其全，偏者亦粹。守其正，奇者亦醇。故尝略近今而裁伪体，惟以秦、汉为归。非以秦、汉为金科玉律也，师其变动不拘耳。寥寥寰宇，罕有合作。数十年来，其朱修能乎？次则顾元方（听）、邱令和（昄），次则万年少（寿祺）、江皜臣、程穆倩（邃）、陶公碧（碧）、薛穆生（铨）。"（见卷二《书黄济叔印谱前》）又说："自何主臣兴，印章一道遂属黄山。继主臣起者不乏其人，予独醉心于朱修能。"（卷三《书汪宗周印章前》）《菌阁藏印》传世无多，我们只见过一部，披览之余，方知周亮工、董洵等人对他的称誉是符合实际的。

图190　朱简 朱简

图191　朱简 修能

图192　朱简 拥书一室

图193　朱简 又重之以修能

第二十六章　程邃、巴慰祖
（汪肇龙、胡唐、巴树谷、董洵附）

程邃（1605—1691），字穆倩，号垢区、垢道人、青溪朽民、野全道者、江东布衣，安徽歙县人，住扬州。明诸生。他是有民族气节的著名书画篆刻家，工诗，有《会心吟》。

程邃年辈要比朱简晚些，程邃时代还容易看到朱简的印谱。汪启淑《续印人传》于夏俨、俞廷扬、赵丙域各篇都有"朱文宗朱修能"一类话，可以证明。当时印学界寝馈文、何，陈陈相因，久无生气。朱简首先起而矫之，面目一新；程邃继起，参合钟鼎古文，出以离奇错落的手法，对印学更有所发展。周亮工《印人传》说："印章一道，初尚文、何，数见不鲜，为世厌弃。犹王（世贞）、李（攀龙）而后，不得不变为竟陵（钟惺、谭元春皆竟陵人。这里用明代的诗来比喻明代的印）也。黄山程穆倩邃以诗文书画奔走天下，偶然作印，乃力变文、何旧习，世翕然称之。"（卷二《书程穆倩印章前》）又说："……然欲以一主臣而束天下聪明才智之士尽俯首敛迹，不敢毫有异同，勿论势有不能，恐亦数见不鲜。故漳海黄子环（枢）、沈鹤生以'款识录'矫之。刘渔仲（履丁）、程穆倩复合'款识录'大小篆为一，以离奇错落行之。欲以推倒一世。虽时为之欤，亦势有不得不然者。"（卷二《书黄济叔印谱前》)周亮工论时代变了艺术不得不变的道理,合乎文艺发展的规律。朱简、程邃等人蓄志变体,多方面采取资料,用来丰富自己作品的内容与形式,这一精神是符合时代要求的。

程邃印谱失传,赖有乡人程芝华在《古蜗篆居印述》第一册中摹刻了他的作品五十九方,虽非真迹,亦借以保存面目。程邃书画墨迹也有流传,所钤印记,定出自制,留给后人真赏。他早年出黄道周门下,诗书画印意境甚高,皆自具风格。魏锡曾《论印诗》有论程邃一首云:"蔑古陋相斯(李斯),探索仓(仓颉)、沮(沮诵)文。文、何变色起,北宗张一军。"自注:"文、何南宗,穆倩北宗,黄小松(易)印款中语。"程邃晚年侨居扬州,故云"北宗"。黄易这句话,对程邃的印艺推崇到了极点,只可惜他的印迹流传太少。

继程邃而起者,有汪肇龙、巴慰祖、胡唐,皆是安徽歙县人,世称"歙四家"。四家印迹流传到今天的比较少,所以今天印学界对这几位作家了解不多。

汪肇龙(1722—1780),亦作肇潍,字稚川。巴慰祖(1744—1795),字予藉,一字子安,号隽堂、晋堂、莲舫。胡唐(1759—1826),一名长庚,字咏陶,又字子西、西甫,号瞪翁、木雁居士、城东居士,巴慰祖的外甥,有《木雁斋诗》。

过去只见巴慰祖《四香堂摹印》二册,皆是早年摹古之作。程芝华《古蜗篆居印述》四册,分摹四家,道光四年(1824)出版。从这里可窥见四家创作的风貌。那年胡唐还在世,亲为此谱作序,说明程芝华摹手还不错。虽然如此,毕竟是"虎贲中郎",不能满足读者的欲望。可喜的是近年我们发现了巴慰祖的真谱。这本真谱,原来就是1917年锌版影印曾风行一时的《董巴王胡会刻印谱》。谱分四册,标称是董洵、巴慰祖、王振声、胡唐四家交互镌刻的印章。世人未见"歙四家"印谱,对此极为重视,目为新安印派中期的代表作品。等到我们发现此谱原钤底本之后,才判定全谱是巴慰祖个人创作。理由是:一、全谱风格相同,原钤底本有巴慰祖世交胡光硕跋,指出是

图194　程邃　程邃　　　　　　　　　　　　图195　程邃　穆倩

图196　程邃　程邃之印　　　　　　　　图197　程邃　垢道人程邃穆倩氏

巴谱。二、我们从巴慰祖遗存书迹中检出他钤用各印，得十余颗，大多数是此谱所有。《会刻印谱》放在巴谱仅二颗，分放在董谱者四颗，王谱三颗，胡谱五颗。巴慰祖用印，或由友人分刻也难说。三、我们再把程芝华《印述》摹刻的胡唐各印与此谱胡唐各印一一校对，四十余颗之中没有一颗相同，作风也显然两样。这便有力地证明所谓《会刻印谱》分作四家是没有根据的。[1]

巴慰祖是继程邃后起的一大名家。他的外甥胡唐、儿子巴树谷，传其家学，而风格稍变。巴慰祖的印，从朱简"碎刀"出来，多用"涩刀"，而不光润。程芝华摹刻本，用刀便多光润。胡唐、巴树谷作品，亦复如此。胡唐的印，除程芝华摹刻之谱外，真谱失传，我们只在他处窥见其若干印迹。

1　巴慰祖创作印谱底本的发现，参看沙孟海《记巴慰祖父子印谱》，发表在上海书画出版社出版的《沙孟海论书丛稿》中。

图198 汪肇龙 内书典簿

图199 汪肇龙 桃花关外长

图200 汪肇龙 臣生七十四甲子

图201 汪肇龙 慰祖印信

图202 胡唐 辟翁

图203 胡唐 树谷

巴树谷（1767—？），字孟嘉，又字艺之、辛祈，号秋农、义盦、曙谷、西塍，巴慰祖的长子，有《四香堂印余》八册，第八册是他个人创作。巴树谷的时代，看到金文原拓较多，所以他在作品中采用金文也较妥，不再如程邃、巴慰祖那样夹杂讹体。此一作风，开后来吴咨等人的前路，值得特别一提。

董洵（1740—1809年尚在），字企泉，号小池、念巢，浙江山阴（绍兴）人。曾任四川南充县主簿，落职。工诗、书、画、印，著有《小池诗钞》《多野斋印说》。《董巴王胡会刻印谱》既不可信，则董洵印谱已失传。

论印学者，或以董洵隶属徽派，或以董洵隶属浙派。董洵在《多野斋印说》中推崇朱简"真有明第一作手"；推崇程邃"能变化古印者"；也推崇丁敬，说他"汇秦、汉、宋、元之法，参以雪渔、修能，用刀

图204　巴慰祖　巴树谷之玺

图205　巴慰祖　树谷印信

图206　巴慰祖　董洵私印

图207　巴慰祖　辛蕲氏

自成一家"。胡唐《木雁斋诗》有颗董洵巢印谱五古一首,记述在武汉与董洵、巴慰祖等人相聚刻印之乐(见诗集卷三,原题《董念巢以所刻印册子索题,展玩今作,追忆前游,得三百字书后》),说明他与巴、胡交好之深,作品风格必然相互影响。丁敬之子丁传在《多野斋印说》跋中说他"于近代独喜临先君子之篆刻,虽千里外,必邮致之,一规仿焉。每刻一印成,诧语人曰,'此真龙泓(丁敬号)先生的派'。其雅尚如此。"可见董洵治印,兼师众长,不主一家。印谱失传了,仅从少量的遗留作品判断其流派,当然有困难。董洵虽是浙人,长蒋仁三岁,但他的时代尚未有"浙派"的名目,故我们现在暂把他放在新安印派,将来看到他的全谱,再作论定。

图208　董洵　青城外史

图209　董洵　小池癖此

图210　董洵　中年陶写

图211　董洵　悠然见南山

第二十七章 明、清之际其他名家

　　朱简《印经》所叙列的当时的印人支派与姓字,第二十三章摘引过。这些家数,或作品流传很少,或虽看到印谱,我们印象不深,了解不够。第二十三至二十六章专章叙述的苏宣、梁袠、汪关、朱简、程邃、巴慰祖几家,是我们认为在新安印派中比较突出、给后来印学界影响比较大的(有些人朱简书中未列入)。

　　这一时期的其他名家,一、其人有一定的声望,作品风格有特点,曾被推为某一体的代表人物,但作品少见;二、因身份关系,在旧时代被人歧视的。本章初步补充提出赵宧光、宋珏、黄枢、黄经、江皓臣、僧慧寿、韩约素、何通八人,分别介绍如下:

　　赵宧光(1559—1625),字凡夫,号寒山,江苏太仓人。他是古文字学专家,所著《说文长笺》是一部有名的著作。他创为"草篆法",在书法史上有重要的地位。可惜传世《赵凡夫印谱》八册,全是他摹刻的古铜印,不是自己创作。其他零星作品,真伪未可知。总之,我们从未见到他将草篆法应用到印章上来的作品。将草篆法应用到印章上来,一般说法是始于朱简。孙光祖《古今印制》说:"赵凡夫草篆,创古今未有之奇。正者偏,藏者露,静者躁,庄者佻,舒者促,敛者肆。文敏(赵孟頫)之道,于兹失守矣。朱修能好奇,乃以寒山法入印,愈工而愈魔矣。"保守派"一本正经",墨守成规,不允许艺术领域有新的创造，他们所批评的偏、露、躁、肆，正是赵宧光的卓越成就所在。赵宧光自刻印谱失传了，我们看到过他的篆书墨迹，与近代吴俊卿的篆法有近同之处，从这里也可"窥豹一斑"。

宋珏（1576—1632），一作毂，字比玉，福建莆田人。过去论印学者都说他开始用隶书入印，但印谱失传，仅仅在他墨迹上看到几方自用印章，也都用篆体，未见有隶书，不知什么原因。当时曾有"莆田派"的名目，足见他的影响也不小。

黄枢（生卒年未详），字子环，福建漳浦人。他全面运用商周金文（当时称为"款识录"）入印，他的印谱就取名《款识录》。他是黄道周的本家，黄道周书画上所用印章，据说多出黄枢之手。当时漳州印学家沈鹤生、刘履丁，皆师法黄枢，成为一时风气，并有"漳海派"的名目。《印人传》说："刘渔仲（履丁）以此道名，而其源实出于子环。后程穆倩出，因子环而变之以雅，世人遂但知有穆倩，并渔仲亦不知之，况子环耶。"（卷三《书黄子环子克侯印章前》）黄枢《款识录》印谱，后世失传。黄道周书画则颇多流传，其中用古文奇字的印章，想来就是黄枢的手迹。文、何印法沿袭既久，变成了俗套，穷极则变，采用金文确是一个好办法。只可惜当时古物出土不多，所用资料大抵根据薛、王两家的《钟鼎款识》和《汗简》等书，传摹舛误，不免遭到时人的讥笑。《印人传》说："数十年来工印章者舍古法变为离奇，则黄子环、刘渔仲为之倡。近复变为婉隽，则顾元方、邱令和为之倡"

图212　宋珏　宋珏之印

图213　宋珏　字比玉

图214　黄经　武夷仙吏　　　　　　　　　　　　　　图215　黄经　龙宝堂

（卷三《沈逢吉》）。又说:"明诗数变,而印章从之。今之论诗者,极口诋竟陵(钟惺、谭元春),然欲其还而为'黄金白雪''百年万里'亦有所不屑。今之论印章者,虽极口诋漳海,欲其尽守三桥、主臣之'努力加餐''痛饮读《骚》',凛不敢变,亦断有所不能。故漳海诸君子甘受人'符篆'之诮,毅然为之,死而不悔者,彼未尝不言之有故而持之成理也。"(卷二《书黄济叔印谱前》)金文入印问题,从吾丘衍以来一直有争论[1]。黄枢等人大胆实现,这种变体的精神是不可忽视的。

　　黄经(生卒年未详),字济叔,一字山松,江苏如皋人。周亮工的好友,平日为周亮工治印最多。留心籀篆之学,有著作,周亮工、杜濬极称之,但已失传。印学传播到如皋,人才辈出,黄经便是最早的一个。我们曾见他的遗谱,功力虽深,而风格不高。论者谓黄经印法是后来"飞鸿堂"一派(参看第二十九章)所自出。可见他的作品在当时有一定的影响。

1　吾丘衍主张写篆书可参《款识录》,刻印必用摹印篆,见《三十五举》中第十二举和第二十九举。

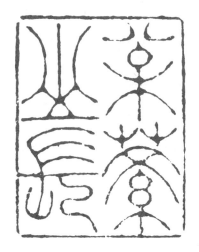

图216　黄经　松萝山长

图217　黄经　驯白鹿兮采紫芝

江皜臣（生卒年未详），安徽歙县人，客闽中，以刻玉印著名。周亮工《印人传》说："皜臣治玉章，则真能取法古人而运以己意者，即其乡人何雪渔尚不屑规模之，况其下者乎。"（卷二《书江皜臣印谱前》）诸家集品印谱中偶见江皜臣作品，惜本谱已失传。晋江人陶碧，从学最久。他的印谱亦失传。

僧慧寿（1603—1652），俗姓万，名寿祺，字年少，一字若，（江苏）徐州人。崇祯举人，入清为僧，号明志道人，世称寿道人。工诗文书画篆刻，有《隰西草堂集》。周亮工说他："自作玉石章，皆俯视文、何。所蓄晶玉冻石诸章，皆自为部署，一一精好，非世间恒有。"（《印人传》卷一《书沙门慧寿印谱前》）我们从他画上看到他的自用印章，简洁静穆，有书卷气，另有一种境界，与他所作山水清远淡雅，惜墨如金，恰恰相称，可惜他的印谱也失传了。

图218　汪皜臣　近思氏

图219　汪皜臣　书淫传癖

图220　僧慧寿　春山书画绿杨船

图221　僧慧寿　万寿祺

图222 僧慧寿 寿道人

韩约素（生卒年未详），号钿阁，梁袠之妾。妇女工刻印者，她最著名。《印人传》说她"惟喜镌佳冻，以石之小逊于冻者往，辄曰，'欲依凿山骨耶'。"印学界传为美谈。《小石山房名印传真》收她为周亮工刻"老不晓事强著一书"朱文八字，稳秀有法度，边款亦佳。此印应是她的代表作。

何通（生卒年未详），字不违，江苏太仓人，大学士王鏊家的山仆。治印功夫很深。他在王家见闻广，看的图书文物也多，所以成就可观。他刻有《印史》六册，万历四十八年（1620）出版，从秦李斯起到元董抟霄止，选取各时期的历史人物，各为刻一名章。这是很了不起的。张灏《学山堂印谱》卷首开列主要的"篆刻家姓氏"，自归昌世以下凡二十三人，最后附录何通，注云："此吾州王文肃公家世仆，技颇不恶，故亦录之。"今天，更应该尊重事实，给何通以应得的地位。

图223 韩约素 老不晓事强著一书

图224　何通　武元衡印

图225　何通　王翦

图226　何通　白起之印

图227　何通　蒯通

第二十八章　日本早期名家

　　中国印学,明、清之际就已传入日本。据记载,最早带着篆刻艺术东渡日本的是僧独立(1596—1672)。他原姓戴名笠,字曼公,浙江杭州人。顺治十年(1653)到日本长崎,"剃度"为僧。他遗存书迹上的自用诸印如"遗世独立""天外一闲人"等,是否己作,已无从考证。

　　稍后有著名篆刻家僧兴俦(1639—1695),字心越,号东皋,浙江金华人,俗姓蒋。初住杭州永福寺,康熙二十年(1681)应聘到日本长崎,后来定居江户(今东京),是江户市寿昌山祇园寺的开山祖师。他兼工书画篆刻,篆刻尤有名。他的作品,效法中国明末清初通行的

图228　僧独立　遗世独立

图229　僧独立　天外一闲人

一种风格"方篆杂体"（日本人的说法），带有装饰意味，与我国"飞鸿堂"一派（《飞鸿堂印谱》见下章）相接近。后来的江户派，主要作家如榊原玄辅、细井知慎、池永荣春等人，都是兴俦的门生后进。再后源孟彪出来，扬弃旧体，提倡汉法，世称"古体派"。对兴俦一派则称为"今体派"。

源孟彪（1722—1784），字孺皮，号芙蓉生，日本甲斐高梨人，亦称高孟彪。源孟彪的时代，与我国蒋仁、黄易、邓石如、巴慰祖相当。他看到中国历代印章谱录较多，曾为甘旸《印正》作注解，在日本刊行。自己的作品，也受丁敬等人的影响，既有钝朴之风，又有妍美之致，号"古体派"。从某一角度看，确实比"今体派"高雅。从学者更多，主要是曾之唯、葛张、前川利涉、纪止、菅周监、杜澂、杜俊民等人。遗

图230　僧兴俦　花落家童未扫鸟啼山客犹眠　　　　图231　僧兴俦　放情物外

图232　源孟彪　越石　　　　　　　　图233　源孟彪　邦彦私印

图234　源孟彪　孟彪　　　　图235　源孟彪　山从人面起云沾马头生

著有《汉篆千字文》《古今公私印记》。后人编辑的有《菡萏居印谱》《芙蓉山房私印谱》《芙蓉先生遗篆》。芙蓉之名最著，世称高芙蓉，也称这一印派为"芙蓉派"。

"今体""古体"两派的传衍与发展，一直支配着日本前一阶段的印学史，这里不详述。

第二十九章 三部集体印谱

明末清初，出了几个著名的印章鉴藏家，各人都曾辑有集体印谱行世，可说是各该时期印学作品的综合报道，同时对印学的提倡与发展也有一定的推动力，这里就提出来谈一谈。

其一是张灏（生卒年未详），字夷令，亦作彝令，一字长公，又名休，字康侯，号白于山人，江苏太仓人。"复社"领袖张溥之从兄。他于明万历四十五年（1617）先辑成《承清馆印谱》四册，后于崇祯四年（1631）辑成著名的《学山堂印谱》六册，次年再增辑成为十册，凡收录当代篆刻二千多方。

其二是周亮工（1612—1672），字元亮，号栎园、减斋，河南祥符人，住南京。他就是《印人传》的作者。康熙六年（1607），他叫儿子在浚、在延、在建等辑成《赖古掌印谱》四卷，凡收录各家篆刻一千多方。

其三是汪启淑（1728—1800），字慎仪，号秀峰、讱庵，安徽歙县人，住江苏娄县。乾隆十年（1745）辑成《飞鸿堂印谱》五集，每集二册，共四十卷，凡收录各家篆刻四千多方。

以上三家集体印谱，都是他们辑存的当代各家主要是为他们自己刻的作品，可谓洋洋大观（汪启淑生平所编辑的印谱有二十七种之

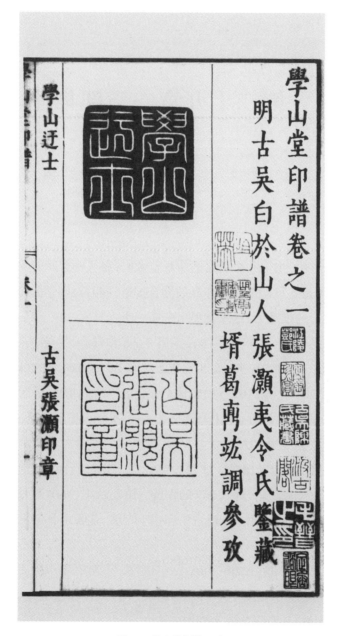

图236　学山堂印谱一页

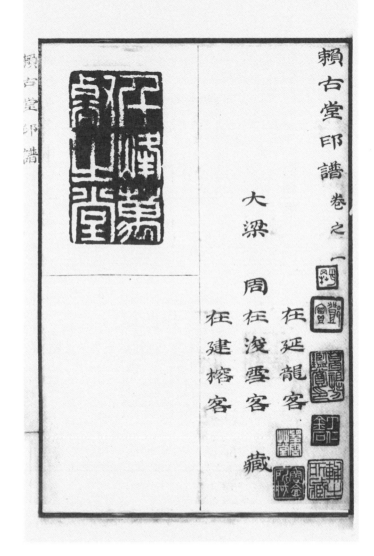

图237　赖古堂印谱一页

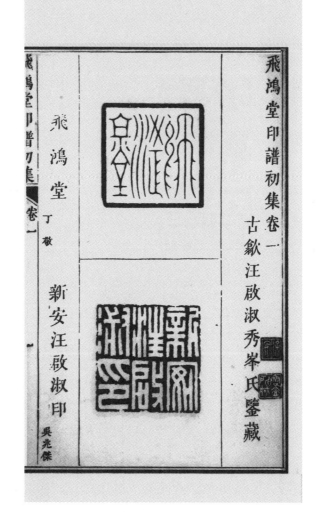

图238　飞鸿堂印谱一页

多，并辑著《续印人传》行世，尤其难得）。

　　三部集体印谱，基本上可以代表三个时期的印章风格。《学山堂印谱》的时代去文、何不远，这批印章还是明季印学全盛时期的作品，可惜张灏前后编辑两种印谱只钤印面，并未拓款。独有《承清馆印谱续集》中，每印下方都注作者姓字，这一体例比较妥善。《学山堂印谱》仅在册首总的开列了一部分主要作者姓字，使读者无从知道某印是某人所作，实在不够讲究。《赖古堂印谱》的时代，就是《印人传》的时代，若干名家已过去，新兴印人正多。这部印谱也只钤印面而不拓款。那时做印谱都还不知拓款，犹可说。此谱册首与册中都没有开列作者姓名，周亮工通人，不知何故昧于体例如此。《飞鸿堂印谱》是文、何末流板滞庸俗相习的时代，谱中印章，虽然有一部分是学山堂的旧藏，绝大部分则是新收新刻的。每印皆分注作者姓名，这点是好的，但仍未拓款。其中亦收入丁敬的作品。丁敬那时虽已出名，作品尚未成熟（或说有伪刻）。读《飞鸿堂印谱》，使人感到这批作家大多数追求装饰，不讲法度。印章进入这一时期，真是"江河日下"，有不得不变的趋势。西泠印派就在此情况下应运而兴起，这也是文艺发展的一定规律。

第三十章　丁敬与西泠印派

西泠印派的名目，大约在清代乾隆后期丁敬已故，而黄易、奚冈等人正享盛名时提出来的，以自别于何震以来久主坛坫并经过一变再变的新安旧体。

印学到了丁敬的时代，有不得不变的趋势，前章已谈到。按照丁敬的才干和学识，确实也负得起开创新派这一历史任务。

丁敬（1695—1765），字敬身，号钝丁、砚林、砚叟、龙泓山人，浙江钱塘（杭州）人，布衣。早年以卖酒为业，对学术有多方面的修养。当局曾以"博学鸿词"荐，不应试。著有《武林金石录》《砚林诗集》《砚林印谱》。

丁敬篆刻，兼收各时代的长处，规模大，沉浸久，孕育变化，气象万千。汪启淑《续印人传》说他"留意铁书，古拗峭折，直追秦、汉。于主臣（何震）、啸民（苏宣）外，别树一帜。两浙久沿林鹤田（皋）派，钝丁力挽颓风。印灯续焰，实有功也"（卷二本传）。他的刀法，钝朴奇崛，风格遒上。何元锡、魏锡曾都说他从朱简的"碎刀"出来（见魏锡曾《论印诗》自注）。我们看法，新安诸家中朱简的"碎刀"对丁敬有所启发。但刀法只是治印的一个方面，我们研究印学，必须有全面的了解。他所作《论印绝句》有一首云："古人篆刻思离群，舒卷浑同岭上云。看到六朝唐宋妙，何曾墨守汉家文"。自注"吾竹房（衍）议论不足守"。此诗是他对印学的总的主张,这种气魄与识力,以前印人都不曾有过。历来评丁敬的印的,也多知之未尽。魏锡曾《论印诗》中有论丁敬一首说:"健逊何长卿(震),古胜吾子行(衍)。寸铁三千年,秦汉兼元明。请观《论印诗》,浑浑集大成"(见《绩语堂诗存》)。这三十字,要言不烦,搔着痒处。

丁敬以后,继起者有蒋仁、黄易、奚冈三家,世称"西泠四家",或称"浙派四家"。

蒋仁(1743—1795),原名泰,字阶平,因得汉蒋仁铜印而改名,号山堂、吉罗居士、女床山民,浙江仁和(杭州)人,布衣。有《吉罗居士印谱》。

蒋仁少丁敬四十八岁,还及侍丁敬。诗画兼工,但少作。行楷书最佳,世推当代第一手。印宗丁敬,苍劲简拙,自有创格。四家并称,

图239 丁敬 敬身

图240 丁敬 小山居

图241 丁敬 玉几翁

图242 丁敬 丁敬之印

蒋仁风格亦高,足与丁敬相颉颃。性情孤冷,少与世接,在当时声名未著。蒋仁长黄易一岁,汪启淑《续印人传》有丁敬、黄易,而无蒋仁,可知汪启淑还未见蒋仁的作品。

黄易(1744—1802),字大易,一字小松,号秋庵,浙江仁和人,官兖州府同知,著有《小蓬莱阁金石文字》《小蓬莱阁集》《秋景庵印谱》。

黄易是诗人黄树谷(号松石)之子,诗词出于家学。篆隶书、山水画并为世重。治印,亲受业于丁敬,闲雅遒劲,具体而微。在山东时,搜访碑刻,收获甚富。尝自绘《访碑十二图》记其事。嘉祥武氏石室画像久埋荒土,由于黄易全面搜寻,集中保护,声名大著。海内金石家如阮元、翁方纲、王昶辈,皆与交往讨论。丁、黄二家皆专研金石

图243 蒋仁 净土

图244 蒋仁 蒋仁印

图245 蒋仁 磨兜坚室

图246 蒋仁 物外日月本不忘

图247　黄易　一不为少

图248　黄易　苏米斋

图249　黄易　茶熟香温且自看

图250　黄易　乙酉解元

学,兼擅篆刻,当时并称"丁黄"。何元锡曾合辑二家印稿,题名《丁黄印谱》。

奚冈(1746—1803),原名钢,字铁生,一字纯章,号萝龕、鹤渚生、蒙泉外史、散木居士,浙江钱塘人,布衣,著有《冬花庵烬余稿》《蒙泉外史印谱》。

奚冈少黄易二岁,他也及侍丁敬。诗词与各体书,有声于时。尤工山水花卉,与方薰齐名,世称"方奚"。治印得丁敬之传,具体而微,无丁敬之豪健,而秀逸之气,跃于纸上,风格与黄易接近。

丁、蒋诸家印谱,最早要数何元锡、何澍父子集拓本及毛庚集拓本,但久已失传。1965 年西泠印社收得《西泠四家印谱》剪裱本,细审知是何氏集拓本,极为名贵。曾加工铨次,影印出版。此外连"后四家"编拓的也有数本,见下章。

图251　奚冈　接山草堂

图252　奚冈　奚冈之印

图253　奚冈　奚冈言事

图254　奚冈　蒙泉外史

第三十一章　西泠后四家

（胡震附）

继西泠四家而起的，有陈豫钟、陈鸿寿、赵之琛、钱松，世称"西泠后四家"。或将前四家加上二陈，称为"西泠六家"。或再加入赵、钱，合称"西泠八家"。

陈豫钟（1762—1806），字浚仪，号秋堂，浙江钱塘人，廪生，有《求是斋集》《求是斋印谱》。他的诗书画印，皆名隽可喜。印宗丁敬，工整秀润，谨守法度。款识常作密行细字，尤所自矜。

陈鸿寿（1768—1822），字子恭，一字曼生，浙江钱塘人，拔贡，官淮安府同知，有《桑连理馆集》《种榆仙馆印谱》。他自己说："诗文书画不必十分到家，乃时见天趣"。所作隶书多有创意，独步一时。刻印，在师法丁敬的基础上，运刀遒练，豪迈自如。他少陈豫钟六岁，与陈豫钟齐名，世称二陈。

赵之琛（1781—1852），字次闲，一字献甫，浙江钱塘人，布衣，著有《补罗迦室集》《补罗迦室印谱》。他是陈豫钟的高足弟子，书画并工，印学受之于陈豫钟，亦兼用陈鸿寿刀法。郭麟曾说："秋堂贵绵密，谨于法度。曼生跌宕自喜，然未尝度越矩矱。……次闲既服习师说，而笔意于曼生为近，天机所到，异趣横生，故能通两家之驿，而兼

图255　陈豫钟　陈豫钟印

图256　陈豫钟　文章有神交有道

图257　陈豫钟　水村山郭

图258　陈豫钟　洗翠轩

图259　陈鸿寿　七芗诗画

图260　陈鸿寿　琴书诗画巢

图261　陈鸿寿　浓花淡柳钱塘

图262　陈鸿寿　南宫第一

有其美"(见他所撰《补罗迦室印谱序》)。嘉庆、道光年间,浙派作家以陈鸿寿、赵之琛二人最为老师。陈鸿寿作品,虽千篇一律,但还保持丁、蒋钝朴之气。赵之琛所作务求情美,以巧取胜。平日治印最多,手迹流传不少,"燕尾鹤膝",未免为人诟病。论者谓丁、蒋风格到他身上已少遗存。但也有人偏爱赵作,说他别有佳致。故不能一概而论。

钱松(1818—1860),原名松如,字叔盖,一字耐青,号铁庐、西郭外史,浙江钱塘人,布衣,著有《铁庐印谱》(高邕藏拓的名《未虚室印赏》)。他治印功力深厚,师法丁、蒋,而浑厚朴茂,比同时诸家意境为高。吴俊卿极称赏之,认为是浙派的后劲。

西泠诸家合谱,除前章谈到的四家之外,有同治六年(1887)丁丙集拓的《百石斋西泠八家印选》十二册,光绪九年(1883)傅栻集拓

图263　赵之琛　越垵诗画

图264　赵之琛　汉瓦当砚斋

图265　赵之琛　补罗迦室

图266　赵之琛　勃海夫子

图267　钱松　臧寿室印

图268　钱松　南宫第一对策第二

图269　钱松　槜李范守知章

图270　钱松　吴凤藻印

的《西泠六家印存》六册（前四家加二陈），1925年丁仁集拓的《西泠八家印选》四册。此三种比较好，现在还可看到。

　　西泠印派在乾隆、嘉庆、道光、咸丰一段时期，称雄于印坛足足有一百多年。程邃去世在丁敬出生前四年，巴慰祖与黄易同岁，少于蒋仁一岁，长于奚冈二岁。丁敬死后才有西泠印派的名目，那时新安一派也正由巴慰祖起来重整旗鼓，与西泠一派分道扬镳。与此同时，安庆出了一个邓石如。他与蒋仁、巴慰祖同岁。邓石如的印法，从何震出来，既不走程邃老路，也不用丁敬新法，在印坛上是一支异军突起，互为犄角。后世称为"邓派"，或称"新徽派"（详见下章）。这一时期可说是印学界人才最盛、百花齐放的时期。三派的力量，还是浙派最雄厚。原因是"老徽派"看得熟了，不以为奇。"邓派"还只新生，羽翼未成。浙派则兴起不久，人才辈出，正是他们的全盛时期。有人认为徽派衰歇了，浙派才起来；也有人认为浙派衰歇了，邓派才出来，都是不符合事实的。

赵之谦曾论述浙派各家作风的异同，说："浙宗见巧莫如次闲，曼生巧七而拙三，龙泓忘拙忘巧，秋庵巧拙均，山堂则九拙而孕一巧。"（见《书扬州吴让之印稿》）这话很有分寸。西泠印派，妙处不在于巧，而在于拙，看各家包含巧拙成分的增减，便可衡量他们艺术水平的高低。赵之谦称"蒋山堂印在诸家外自辟蹊径，神至处龙泓且不如"（见同上）。各家之中，惟蒋仁最善学丁敬，黄易、奚冈次之，后四家就差了。魏锡曾曾说："钝丁之作，熔铸秦、汉、元、明，古今一人，然无意自别于皖。黄、蒋、奚、陈曼生继起，皆意多于法，始有浙宗之目。流及次闲，偭越规矩，直自郐尔。而习次闲者末见丁谱，自谓浙宗，且以皖为诟病。无怪皖人知有陈、赵，不知其他。余常谓浙宗后起而先亡者此也。"（见《吴让之印谱跋》）徽、浙两派盛衰起伏的关系，上面已论及，魏锡曾"浙宗后起先亡"之说，还需要讨论。至于印谱传布，较之诗文著作，更多困难。赵之琛时代，人们已看不到丁敬真谱，看到陈鸿寿、赵之琛的作品，便认为是浙派的典范。徽派先后辈人才更多，经历时间更长，诸家印谱散亡更多，自不用说。魏锡曾把这点指出来，是有必要的。

西泠八家之外，有胡震（1817—1862），字伯恐，亦作不恐，号胡鼻山人，亦称鼻山，浙江富阳人，布衣。篆刻与钱松齐名，其风格亦相近似。吴俊卿论近世印，极推重胡、钱二家。有《胡鼻山人印谱》，亦有将胡、钱二家印合编一谱者。丁、蒋等八人都是杭州府附郭仁和、钱塘两县人，胡震是富阳人，故不在西泠八家之列，这里附带一提。

图271　胡震　公寿长寿

图272　胡震　华亭胡氏

图273　胡震　胡鼻山人同治大善以后所书

图274　胡震　东吴陆祉

第三十二章　邓石如

　　邓石如（1743—1805），原名琰，字石如，因避嘉庆帝讳，改以石如为名，字顽伯，号古浣子、完白山人，安徽怀宁（安庆）人，布衣，著有《完白山人印谱》。

　　邓石如也是清代杰出的书法家和印学家。他开始用隶书笔法写篆书，给予后世学篆者以很大方便。康有为曾说："完白山人未出，天下以秦分（即秦篆）为不可作之书，自非好古之士，鲜或能之。完白既出以后，三尺竖僮，仅解操笔，皆能为篆"（见《广艺舟双楫·说分篇》）。他的篆刻，初学何震、梁袠。印谱中有"一日之迹""折芳馨兮遗所思"等印，就是他早年摹刻梁袠的旧作。他在篆刻上的成功，是和他书法上的成功分不开的。他把篆书上生龙活虎千变万化的姿态运用到印章上来，这是印学家从未有过的新事。活力充沛，气象一新。特别是朱文印，光气烜烜，不可逼视，更有创造性的发展。他曾为罗聘刻过"乱插繁枝向晴昊"七字印，边款说："两峰子画梅，琼瑶璀璨；古浣子摹篆，刚健婀娜。"（《绩语堂论印汇录》提到）"刚健婀娜"四字，是他自己所下的评语，我们认为这一评语再恰当也没有了。自从邓石如篆法印法成名以后，全国印学界靡然向风。徽派旧体，几乎少人过问了。

　　有人说，邓石如也是安徽人，他的印又是学何震、梁袠出身，应该

图275 邓石如 畴城一日长

图276 邓石如 有好都能累此生

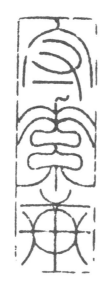

图277 邓石如 守素轩

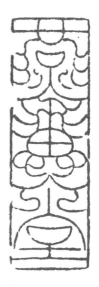

图278 邓石如 燕翼堂

属于徽派。也有人说,邓石如的印,运用自己的篆法,开创新体,不能归属于任何一派,世称"邓派"比较适宜。两说各有其理由。我们意见,明代尚未设置安徽省(明代有江南省,康熙六年即公元1726年始析置江苏、安徽两省),原称徽派、黄山派、新安派,只指徽州地区,不包括长江以北的安庆在内。邓石如的印法,给予后来的影响确实大极了,称为"邓派"最恰当。或称为"新徽派""后徽派",也还可以。另外有人只承认邓石如是徽派,把邓石如以前二百多年的徽派印学历史都不算,我们认为是不妥当的。

邓派这个名称,是邓石如再传弟子吴熙载最早提出来的。这一派的著名印学家,除吴熙载外,有徐三庚、赵之谦、黄士陵等人。赵之谦自己不承认专学邓石如,详见下章。

第三十三章 吴熙载（吴咨附）

　　吴熙载（1799—1870）原名廷飏，字熙载，后以熙载为名，字让之，最后以字行，号晚学居士，江苏仪征人，诸生，著有《师慎轩印谱》。

　　吴熙载出包世臣之门，是邓石如再传弟子，兼擅书画篆刻。篆书纯用邓法，挥毫落笔，舒卷自如，虽刚健少逊，而翩翩多姿，有他新的面目。他在文艺方面把主要精力放在刻印上，运刀迅疾，圆转流畅，功夫精熟，无论朱白文，在继承邓石如的基础上，都有新的创意，形成他自己的独特风格。特别是那种轻松澹荡的境界，邓石如谱中不曾有过。

　　赵之谦年龄少吴熙载三十岁，是吴熙载的晚辈。两人作品，各有特点，旗鼓相当。赵之谦早年自制"会稽赵之谦字㧑叔印"，边款说："息后静气，乃是浑厚。近人能此者，扬州吴熙再（载）一人而已。"[1]可见他早年是佩服吴熙载的。但他于同治癸亥年（1863）在《书扬州吴让之印稿》长篇文章中却说："让之于印宗邓氏，而归于汉人，年力久，手指皆实，谨守师法，不敢逾越，于印为能品"。此语便有微词，至少对吴熙载认识不足。吴熙载印学的长处，决不仅仅在于"谨守师法"，他的作品也不仅仅是"能品"。再看吴熙载《题赵㧑叔印稿》，

1　赵之谦此印未记年月，看印面与边款的风格，知是早年作品。

图279　吴熙载　吴熙载印

图280　吴熙载　让之

图281　吴熙载　魏稼孙鉴赏金石文字

图282　吴熙载　足吾所好玩而老焉

只有短短几十字。他说："刻印以老实为正,让头舒足为多事。以汉碑入汉印,完白山人开之,所以独有千古。先生所刻已入完翁室,何得更赞一辞耶。"当时写篆书多学邓石如,多有"让头舒足"的习气,吴熙载此语盖有所指。吴熙载论印主张"老实",人也老实;赵之谦才高气盛,不可一世。两人性格不同,作品也自然两路。今天论吴熙载、赵之谦两家印学者,或扬彼而抑此,或先甲而后乙,"见仁见智",尚无定论。总之,两家是近代印坛上并驾齐驱的杰出人物,给予后来学者的影响都非常巨大,我们尽可不必主观判断,强分优劣。

世称邓派印学名家,还有一个吴咨。他年辈比吴熙载稍后,所以附列了此。

吴咨(1813—1858),字圣俞,号适园,江苏武进(常州)人。著有

《续三十五举》《适园印印》。他是阳湖派古文家李兆洛的门生,学问审博,治印法度精严,沉着稳练,自有面目。其中参法金文之作,直接取资于真器拓款,所以比较高明。惜其早逝,流传不广。

图283 吴咨 吴咨

图284 吴咨 圣俞

图285 吴咨 人间何处有此境

图286 吴咨 则古昔斋

第三十四章　赵之谦

（黄士陵、乔曾劬附）

赵之谦（1829—1884），字㧑叔，一字益甫，号悲盫、无闷、冷君、憨寮，浙江会稽（绍兴）人，咸丰举人，官江西南城等县知县。学问文章，根底深厚。书画篆刻，皆第一流。曾主纂《江西通志》，编刊《仰视千七百二十九鹤斋丛书》，遗著有《悲庵居士文存》《悲盫居士诗剩》《国朝汉学师承续记》《补寰宇访碑录》《二金蝶堂印谱》等书。

　　他的篆书，全用邓石如法，更显得侧媚多姿。篆刻不专治某一派，印谱中有摹拟浙派的，也有取法邓、巴的。他刻"钜鹿魏氏"白文印边款说："浙、皖两宗可数人，丁、黄、邓、蒋、巴、胡、陈（曼生）。"将浙派的丁敬、黄易、蒋仁、陈鸿寿和徽派的邓石如、巴慰祖、胡唐并举在一起，可见其对两派都无所轩轾。他对篆刻一向自负不浅。邓石如用秦、汉篆法入印，他更扩大范围，取资于秦、汉、魏、晋、南北朝的金石文字。资料的源泉越来越丰富，笔法、字法、章法的变化也越来越新异，终于推陈出新，自成一家面目。他致秦勉锄书中曾说："弟在三十前后，自觉书画篆刻尚无是处。壬戌以后，一心开辟道路，打开新局"。壬戌是同治元年（1862），他年三十四岁。今天看来，他一心开辟道路，打开新局，是成功的。他刻"松江沈树镛考藏印记"白文印边款说:"取法在秦诏汉灯之间,为六百年来摹印家立一门户"。这话也并无夸大之处。赵之谦的时代,金石学盛极一时,参考资料既众多,又方便。吸收精华,充实创作,赵之谦有此条件,更有此才力。从他死后到今将近一百年,本国及日本印学界学习他体制的接踵而起,当然不是偶然的事。

学赵之谦的人极多,著名的也不在少数,其中以黄士陵最为大家。

黄士陵(1850—1908),字穆甫,亦作牧甫,号黟山人,安徽黟县人。吴大澂巡抚广东,延他入幕府,后遂留寓广州,卖艺自给。著有《黄牧甫印存》上下集各二册。

黄士陵更晚于赵之谦,所见金石遗文更多,资料更富。他在篆刻中运用金文之妙,比赵之谦更有所发展。他的弟子李尹桑曾说:"悲庵之学在贞石,黟山之学在吉金,悲庵之功在秦汉以下,黟山之功在三代以上"(见易忠箓《黄牧甫印存下集跋》)。语气稍重,但大致情况是符合的。黄士陵年辈与吴俊卿相接近,在海内外(包括日本)崇仰吴俊卿风靡一世的同时,武汉、广州一带操刀之士,受黄士陵的影响最多。

吴熙载、赵之谦两家不约而同地分头发展邓派印学之后,全国学

图287 赵之谦 定光佛再世坠落婆娑世界凡夫

图288　赵之谦　绩溪胡澍川沙沈树镛仁和魏锡曾会稽赵之谦同时审定印

图289　赵之谦　郑斋所藏

图290　赵之谦　赵之谦

图291　黄士陵　黄绍宪印

图292　黄士陵　有唐率更令后

者无不抛弃旧法，竞效新体。按其实际，吴熙载纯从邓出，赵之谦兼师徽、浙两宗，不以邓派自居。我们看法，他的主要精神还是原本邓氏。黄士陵远宗邓氏，近法吴、赵，寻味其气息，倾向赵之谦为多。

　　黄士陵之后，这一派的作者，要推乔曾劬造诣最卓。乔曾劬（1892—1948），字大壮，四川华阳人，南京大学中国文学系教授，著有《波外楼诗》《波外乐章》《乔大壮印蜕》。他于篆刻服膺赵之谦、黄士陵,曾为黄士陵作传(见《黄牧甫印存》上集),推崇备至。他所处的时代更晚,所见出土的商周古文更多,并尽量应用到印面上来,融会变化,也自成一家面目。《印蜕》晚出,流传亦不广。

图293 黄士陵 华阳王三好堂所收金石　　　　图294 乔曾劬 物外真游

图295 黄士陵 光绪十一年国子学录蔡赓年校修太学石壁十三经

图296 乔曾劬 福州曾氏　　　　图297 乔曾劬 忍墨书堂

第三十五章 吴俊卿

（齐璜附）

近代印学大家推吴俊卿。

吴俊卿（1844—1927），一名俊，字昌硕，亦作仓石、仓硕、昌石，号缶庐、苦铁、破荷，浙江安吉人。他又是诗人、又是大画家。曾官江苏安东县知县，一个月就辞去。住苏州、上海卖艺为活。著有《缶庐集》《缶庐印存》。

介绍吴俊卿的印，首先要介绍他的篆书。他写篆书，于《石鼓文》功夫最深。早期临摹毕肖，后来更加熟练，从而孕育变化，出以新意。他六十五岁时自题《石鼓文》临本说："予学篆好临《石鼓》，数十载从事于此，一日有一日之境界。"（见钱经铭刻石本）"一日有一日之境界"这句话，很耐人寻味。吸收先秦大篆的精髓，出之以自我创造的倜傥变幻的笔法和结法。领会得这种"不似之似"的作篆旨趣，才能理解到吴俊卿治印的妙处。

吴俊卿篆刻所采取的资料方面更广。玺印而外，参用金文、陶文、封泥、汉三国篆碑、汉晋砖文。特别于《石鼓》体会最深，时常运用《石鼓》的神意来开拓篆刻的境界。他早年有一首《刻印》诗，指出"赝古之病不可药，纷纷陈（鸿寿）、邓（石如）追遗踪。""天下几人学秦、汉，但索形似成疲癃。"又说："今人但侈摹古昔，古昔以上谁所宗？"这种一空依傍敢于创新的精神，是过去印学家从未提到也不敢提到的。由于吴俊卿的气魄大，识度卓，学问好，功夫深，终于摆脱了寻行数墨的旧藩篱，创造了高浑苍劲的新风格，把六百年来的印学推向到一个新的高峰。

吴俊卿的书、画、篆刻，在辛亥革命前后二、三十年间，真昰风靡一世。日本、朝鲜人士辇金购求，多多益善。日本鉴藏家至以收藏吴俊卿作品件数多少相竞赛。近代中国艺术家扬名海外者，推吴俊卿为第一人。日本近代印坛杰出人物河井仙郎，几次到中国，倾心于吴俊卿的印章风格，加入西泠印社为社员，这也是印学界一段佳话。

齐璜（1864—1957），字白石，一字濒生，号寄萍人、三百石印富翁，湖南湘潭人，木雕工人出身。他是当代大画家，又是著名印学家。

图298　吴俊卿　安吉吴俊章

图299　吴俊卿　昌硕

图300　吴俊卿　听有言之音者聋

图301　吴俊卿　破荷亭

曾任北京艺术专科学校教授，解放初被选为中国美术家协会主席。著有《借山吟馆诗草》《三百石印斋纪事》。

他于画学、印学，最服膺吴俊卿。曾有一首诗："青藤（徐渭）雪个（朱耷）远凡胎，老缶暮年别有才。我欲九原为走狗，三家门下转轮来。"治印常用单刀切石，大刀阔斧，比吴俊卿更猛利，更犷悍。他曾说："世间事贵痛快，何况篆刻。"他的作品给予印学界的影响也不小。

图302　齐璜　鲁班门下

图303　齐璜　寄萍堂

第三十六章　近代细朱文诸名家

　　印学史上一直有旖旎工致的细朱文一派。赵孟頫、文彭所作小篆印文，或多或少还带有拙朴之气。接着汪关、林皋、胡唐、赵之谦等人，在这一方面加工加精，有所发展。还有某些不知名作家的作品，我们在善本图书或字画名迹上时常看到，如"安仪周家珍藏""商邱宋荦审定真迹"等印，皆属这一派。近代印学家中推徐三庚、赵时枫、王禔三家，是这一派的代表。

　　徐三庚（1826—1890），字袖海。一字辛谷，号金罍山民，亦作井罍山民，浙江上虞人。著有《金罍山民印存》。他的篆刻，白文刀法学浙派，结体学邓派，朱文则纯学邓派，朱文成就在白文之上。他与赵之谦同时，长赵之谦三岁，学问名位不及赵之谦。上面第三十四章谈到赵之谦写篆书全用邓石如法，更显得侧媚多姿。赵之谦并未将自己的篆书结法用到印文上来，徐三庚的朱文印，却与赵之谦的篆书极相似。这一体飞舞纤巧，体态甚美。或者认为太侧媚，不够端重，但印学界爱好这一体的人确实不少。日本印学家圆山真逸曾到中国，师事徐三庚，传徐三庚印法到东瀛。说明徐三庚的印法有他一定的地位。

　　赵时枫（1874—1916）字叔孺，一字纫苌，浙江鄞州人。著有《二弩精舍印谱》。他的篆刻，继承汪关的传统，最擅长圆朱文及朱白文

图304　徐三庚　前身应画师　　　　　　图305　徐三庚　小桃花盦长

图306　徐三庚　谦退是保身第一法

小玺。他的圆朱文，端严大方，基本上用元、明以来细朱旧法，偶然也参以邓石如、赵之谦的新体。用笔光整坚挺，精到之作，往往突过前人。

王禔（1880—1960）。原名寿祺，字维季，号福庵，浙江杭州人。西泠印社创办人之一。著有《麋研斋印存》。他毕生精力都用在印学上，亦擅长细朱文，创作甚富，茂密稳练，所作多字词句印和鉴藏印，更见本领。遗作精品的原石，今归上海博物馆保藏。

关于印学体系，介绍到这里为止。庄周有言："民食刍豢，麋鹿食荐（美草），蝍蛆甘带，鸱鸦嗜鼠，四者孰知正味。"（见《庄子·齐物论》）文学艺术，各人有各人的专嗜，不能等同。旧时代作家、鉴赏家，爱好各殊，往往强调"正味"，党同伐异，甚至互相轻视，互相排

图307 赵时棡 净意斋

图308 赵时棡 云怡书屋

图309 赵时棡 辛酉十二月四明赵叔孺得梁王像题名记

斥。今天是百家争鸣,百花齐放的时代,我们平心静气地就各时代各流派举出我们比较熟悉的若干代表作家(虽有盛名但未见全谱,或虽见全谱但对后来没有显著的影响者,只好从略),并约略介绍作品的风格如上。或有不够恰当的地方,留待日后再研究讨论。

图310 王褆 春住楼

图311 王褆 蝴蝶不传千里梦

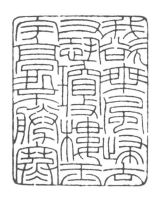

图312　王禔　我欲乘风归去又恐琼楼玉宇高处不胜寒

图313　王禔　会心处不在远

图314　王禔　西屏意造

图315　王禔　苦被微官缚低头媿野人

图316　王禔　书贵瘦硬方通神

第三十七章　印学的发展

　　事物总是不断向前发展的。希腊艺术,到现在还有强烈的吸引力。商、周青铜器,后世也仿造不出来。这不能理解为"今不如古"。

　　马克思说:"它们(指希腊艺术和史诗)何以能给我们以艺术的满足,并且就某方面说还是留作规范和高不可及的模本。成人不能再变成儿童,否则他就稚气了。但是儿童的天真难道不使他感到愉快吗?他自己不该努力在更高的程度上使儿童的纯朴本质再现吗?他固有的纯朴性格不是在儿童的本质中在任何时期都复活着吗?人类最美丽的发展着的人类史之童年为什么不该作为一去不返的阶段而永远发生吸引力呢?……他们(指希腊人)的艺术对我们所发生的那种强烈的吸引力,同它的生长所依据的不发达的社会阶段并不矛盾……"(见《政治经济学批判导言》第三章)

　　郭沫若先生解释这段文章时写道:"殷、周的青铜器是具有高度的艺术性的。不仅今天搞假古董的人摹仿不到,两千年来没有一个时代的铜器能够和殷、周相比。其原因正如马克思所说:产生那种艺术品的未成熟的社会条件是永远一去不复返了。古器物之所以古奥,也还有年代的经历包含在里面。尽管你在形式上摹仿到,甚至把古物作为模子从新翻砂,也翻不出那种的古香古色。那就是因为没有经过那几千年的岁月,没有受到原艺术作品在外部和内部所起的变化。所以古艺术作品的确是不朽和不可企及的。但是,能不能根据这一点便可以认为古代的一切东西都比后来好呢?当然不能。那样就真正成为呆子的思想了。"(见他答复北京大学历史系师生的信,题为《关于厚今薄古问题》,刊载1958年6月11日《人民日报》)

毫无疑问,我们对待古玺和秦、汉印章的态度也应该是这样。

历来有卓越成就的印学家,有意无意地意识到师法古人不过是一种手段,并不是最终目的。苏宣说得好:"……出秦、汉以下八代印章纵观之,而知世不相沿,人自为政。如诗,非不法魏、晋也,而非复魏、晋;书,非不法钟、王也,而非复钟、王。始于摹拟,终于变化。变者逾变,化者逾化,而所谓摹拟者逾工巧焉。"(见《苏氏印略自叙》)丁敬《论印绝句》说:"古人篆刻思离群,舒卷浑同岭上云。看到六朝唐宋妙,何曾墨守汉家文。"吴俊卿《刻印》诗:"赝古之病不可药,纷纷陈(鸿寿)邓(石如)追遗踪。摩挲朝夕若有得,陈邓外古仍无功。天下几人学秦汉,但索形似成疲癃。……不知何者为正变,自我作古空群雄。……今人但侈摹古昔,古昔以上谁所宗?"这几段话或多或少地理解到艺术发展的原理,可以对"食古不化""厚古薄今"的人们下一针砭。

下面举几个印学发展的具体事例。

何震首创猛利一派,苏宣、梁袠等人都用他的方法,有所发展。真正以猛利名家的要推后世吴俊卿、齐璜。大家承认吴俊卿、齐璜的作品气魄之大,"前无古人",这里就不多说了。这是一个例子。

宋代已有朱文小篆印,但还很拙朴,赵孟頫专作这一体,对这一体有发展。文彭所刻圆朱文,比赵孟頫工妙。后来汪关、林皋、胡唐诸家也常刻细朱文,比文彭更高明。安岐、宋荦等人所用细朱文诸印,不知作者姓名,姑且不论。现代的赵时棡、王禔刻这一体最专门,就技法上说,他们的精能,胜过了古人,谁也不能否认。这又是一个例子。

明季福建漳州有几位作家,以黄枢为代表,开始用金文入印,当时称为"款识录"。后来"歙四家"也时常参用此法。当时所见青铜器实在太少，摹拓也不善，条件未成熟，效果不够好，别人讥笑他们刻的是"符箓"。吴咨看到金文较多，运用得较好。到黄士陵的时代，实行拓本传世更多，运用金文变化多姿，真是"后来居上"。这又是一个例子。

今天党和政府重视印学，空前未有。文物考古工作大发展，提供我们借鉴的资料更多，条件更好。历代印学家遗下来的创作经验非常丰富，我们有责任根据"百花齐放""推陈出新"的文艺方针，在继承传统的基础上，创造社会主义社会的印学新风格。依靠我们的集体努力，未来印学的发展是不可估量的。

附　录

附录一　印学形成的几个阶段

印章很早就有，一般上溯到春秋战国。《双剑簃古器物图录》著录安阳出土三颗铜玺，标为商代，虽然不是科学发掘所得，其中一颗图案与商代铜器上所铸族徽相似，可能就是商代作品，或者是西周作品。

商代甲骨卜辞一般有卜人具名，可以说这批卜人便是最早的篆刻家。但不是印章，不算数。

古代制作印章的人，历史上都没有姓名。三国时代曾有印工杨利、印工宗养，见《三国志注》。原文是"印工杨利从仲将（韦诞字仲将）受法"。《广印人传》读破句，误题"杨利从"，应更正。杨利、宗养既然是著名的印工，他们一定是自篆自铸的专业工作者，这可算真正的篆刻家了。可惜那时只当他们是普通工人，社会上还未把印章铸造看成一门艺术，自然谈不到印学（那时有所谓"相印法"，用法术来占吉凶，纯是迷信东西，与印学无涉）。

中世纪有些封建帝王为了重视国玺，命令当时文学大臣书写玺文，如后唐庄宗命令冯道书写玺文，宋英宗命令欧阳修书写玺文……刻者是谁，史无明文。冯道、欧阳修只会篆，不会刻。刻的人只会刻，不会篆。今天讲印学史，当然数不到他们。

会篆会刻的印学家，应该首先推北宋的米芾。

过去讲印学史的，或者认为明代文彭、何震是印学的开山祖师。或者认为元初赵孟頫是第一位印学家。赵孟頫精篆书，擅长印学，特别是细笔朱文印，姿态柔美，比较专门，为后世所推重，称之为"圆朱文"。但未听说他是自己刻的。当时所用印材，一般是铜、玉、牙、角、水晶、黄杨之类，质地坚硬，不易受刀。文人只写不刻，也是常情。世称米芾各印出于亲镌，我起初不相信。但是米芾讲究篆书是事实。上海博物馆藏《绍兴米帖》，是他篆书代表作。再看米芾自用各印，多数刻画粗拙，与同时代欧阳修、苏轼、苏辙等人所用印章刻画工细完全两样。说他自己动刀，是有理由的。

　　法书、名画的鉴定，盖印作"印验"，唐朝就有。随着宋代"文人画"的兴起，诗、书、画作家踵事增华，逐渐有在名款下加盖印章的风气，既表示郑重，也增加美感。故宫博物院藏《褚摹兰亭》米芾跋后连用"米黻之印""米姓之印""米芾之印""米芾""米芾之印""米芾""祝融之后"七颗印。这种做法，可说是他所独创，以往不曾见过，后世也少有（只有赵孟頫、张风等少数人有过）。米芾所著《书史》《画史》两书中都曾有几条论到治印与用印问题。如说："印文须细，圈细与文等。近三馆秘阁之印，文虽细，圈乃粗如半指，亦印损书画也。""王诜见余印记，与唐印相似，始尽换了作细圈，仍皆求余作篆。"米芾的时代比赵孟頫要早二百年，他既然能自己篆印，自己刻印，尽管篆法刻法都还粗糙笨拙，我认为应该算他是"筚路蓝缕"的第一辈印学家。

　　与赵孟頫同时的吾丘衍，年纪小于赵孟頫十八岁，两人是文字交，很要好。"倒好嬉子"的故事，大家都知道。赵孟頫做大官，吾丘衍在杭州设私塾教书过活，人品也高。吾丘衍著《学古编》，其中主要部分《三十五举》是最早出世的一部印学的理论指导书。我们从夏溥所写《学古编序》了解到吾丘衍有关治印的事实，如说："……余候先生好情思，多求诸人写私印，见先生即提新笔书甚快，写即自喜。余'夏溥小印'，先生写，可证也。"又说："……遂变宋末钟鼎图书之谬，寸印古篆，实自先生倡之，直第一手，赵吴兴（孟頫）又晚效先生耳。"夏溥只说吾丘衍写印，未说刻印。今天能看到吾丘衍印，恐怕只有杜牧《张好好诗》墨迹后面吾丘衍篆书观款下所押"吾衍私印""布衣道士"两颗白文印，纯用汉印体制，肯定是他自篆，但不是自刻。有夏溥的话为证。夏溥推崇吾丘衍说："寸印古篆，实自先生倡之"，"赵吴兴晚效先生"，可能也是事实。

赵孟頫、吾丘衍两人同时，可定为第二辈印学家。

第三辈印学家无疑是元末王冕。王冕用花乳石刻印，这一发明，对印学创作提供了有利条件。明、清两代印学大发展，与花乳石的应用大有关系。不过，王冕仅仅是个浙江诸暨九里山中卖画过活的穷书生，声望不高，对当时文艺界影响不太大。我们从他流传下来的画梅墨迹卷轴中看到他自用各印："王冕之章""王元章"（大小两方）、"元章""文王孙""姬姓子孙""会稽外史""方外司马"（或释句曲司马，误）、"会稽佳山水"，皆是白文。"竹斋图书"是朱文。各印拟汉铸凿，无 不佳。"会稽外史""方外司马""会稽佳山水"三印奏刀从容，意境更高，不仅仅参法汉人，并且有他自己的风格。印学到王冕时代可说已经成熟了。可惜流传不广。王冕的姓名，由于《儒林外史》开头说到他，所以出名。他的印，很少人看见过。

明代中晚期大名鼎鼎的两位印学家文彭与何震，当然是第四辈的印学家了。印学到他们的时代，不但成熟，已开始跨进鼎盛阶段。在我国文艺园地中开出了一朵灿烂的鲜花。文彭年辈较长，后世推崇他为印学的开山祖师，不是偶然的。但义彭治印，起初也是只篆不刻。《印人说》说："公所为印皆牙章，自落墨，而命金陵人李文甫镌之。李善雕篚边，其所镌花卉皆玲珑有致。公以印嘱之，辄能不失公笔意。故公牙章半出李手。"（李文甫名石英，见《印人传》后附印人姓氏）后来文彭无意中在路上遇见驴子驮着几箩筐青田石，他全部买来，用作印材。从此专用青田石治印，方便不少。

每一门学问，总是积累好多人好多次的经验，逐步形成，逐步发展过来的。印学创作，从米芾到文彭、何震五百年中间的发展过程大略如上述。我把他们分成四辈，四个阶段，是否妥当，在座有不少博雅宏达的专家学者，请求各位指教。

附录二　沙邨印话

旧日笔札,有关印学者,俾儿辈汇录之,以为印话,亦不次先后也。

仁和魏稼孙《绩语堂论印》谓浙宗后起而先亡,斯言过矣。徽、浙两宗,徽独指新安诸子。长卿、穆倩,策高足于明季;予藉、西父,扬波澜于清世。至汪氏辑《飞鸿堂谱》时,精华已竭,则浙宗起而代之。浙宗亦独指西泠诸子。敬身挺生,弃新安成法,冶秦汉六朝于一炉,气象万千,造境最高。阶平、大易、铁生、潜仪、子恭、次闲、伯恐、叔盖之徒,得其一体,皆足以名家。然至稼孙之时,则浙宗亦寝微矣。顽伯家怀宁,虽为徽人,与何程异郡。其印则于徽浙两宗外独张一军,让之、圣俞、慎伯、㧑叔皆传其笔法。邓氏兴而徽宗遂亡。新安后生,成就之卓,莫若黄穆父(士陵),所作纯乎邓赵,非复程巴旧体。然则徽宗亡时,浙宗方盛,稼孙乃以顽伯祧何程,翻曰浙宗先亡,不亦谬乎!顽伯之不宜隶徽宗,犹㧑叔之不宜隶浙宗,诚以地域分派,则让之、圣俞,亦将为文家支流耶?

咸同以来,浙中印学崛起者二家:会稽赵㧑叔瓣香顽伯,更取资于嬴刘权量、泉布、镫鉴、碑版之文,蔚然自辟一境界。虽魄力少逊,而韵味隽永。海内靡然向风,非无故矣。安吉吴缶庐丈(俊卿)综徽浙邓吴(让之)长子,参钟鼎瓴甓之秘,浑刚一路,与敬身、顽伯鼎足千秋。顾其体高简雄奇，无绳尺可循，新学后生，胸无丘壑，不善为之，适堕恶趣。学吴氏者满天下，鲜能自守者，则非吴氏之咎也。

图317　何震　笑谈间气吐霓虹

图318　何震　青松白云处

图319　巴慰祖　下里巴人

图320　巴慰祖　乃不知有汉无论魏晋

图321　丁敬　两湖三竺万壑千岩

图322　丁敬　烟云供养

图323　赵之琛　农桑余事

图324　赵之琛　驰神运思

图325　钱松　曾登独秀峰顶题名

图326　钱松　我书意造本无法

图327　胡震　一角富春山

图328　胡震　金石长年

图329　邓石如　淫读古文甘闻异言　　　　　　　图330　邓石如　一日之迹

图331　吴让之　梦里不知身是客　　　　　　　图332　吴让之　逃禅煮石之间

图333　赵之谦　餐经养年　　　　　　　图334　赵之谦　长陵旧学

图335　吴昌硕　且饮墨汁一升

图336　吴昌硕　明月前身

图337　黄牧甫　十六金符斋

图338　黄牧甫　有唐率更令后

　　昔人论古文辞，别为四象。持是以衡并世之印：若安吉吴氏之雄浑，则太阳也。吾乡赵氏（时枫）之肃穆。则太阴也。鹤山易大厂（熹）之散朗，则少阳也。黟黄穆甫之隽逸，则少阴也。自余锲家获读所作不多及今尚生存者不具论。庄生有言："民食刍豢，麋鹿食荐，鲫蛆甘带，鸱鸦耆鼠，四者孰知正味。"此四象者，各有攸长，若必执其一以摈其余，而强为出入焉，斯惑矣。

　　治印有三要。曰识字，曰辨体，曰本学，而刀法不与焉。明习六书，默识旧文，诊其变化，穷其原委，识字之事也。前代玺印，各有体制，取法乎上，不容牵缬，辨体之事也。造意遣词，必于大雅，深根宁极，造次中度，本学之事也。不求此三者，徒断断于刀法之微，是谓舍

图339　赵叔孺　平生有三代文字之好　　　　　　图340　赵叔孺　家在西子湖头

图341　易大厂　大厂居士孺　　　　　　　　　　图342　易大厂　无尽藏

本而遂末。

　　项子京得汉婕伃玉印，文曰"婕伃妾赵"，以为飞燕遗物也。辗转流传，曾入文后山、龚定盦、陈篑斋手，赋诗侈陈。为一时盛事。婕伃姓赵者，非飞燕一人，固已有人疑之；余又以为姓而不名，古印当无此例。嗣见定远方子听（濬益）《婕伃玉印考》，始言印文末一字从"女"作"娟"，谛视原拓，果是。方氏又历举秦汉奏事书官不书姓及两汉妇人名多从女之例甚备，一语破的。项文辈徒多事矣。

　　定盦得婕伃玉印，尝以五言律四章记其事。首章云："寥落文人命，中年万恨并。天教弥缺陷，喜欲冠平生。掌上飞仙堕，怀中夜月明。自夸奇福至，端不换公卿。"卒章云："引我飘摇思，他年能不能？狂胪诗力首，高供阁三层。拓以甘泉瓦，然之内史灯。东南谁望气，照耀玉山棱。"意极欲狂，情见乎词。虽飞燕错认，一时未察，而汉宫片玉，价亦连城，其狂憙固宜。定盦又自言别有说载文集，今检集中无之。

吾子行篆书得力于《石鼓》，其印不如其书，要视吴兴为专胜。当时尚未知用花乳石，镌角□，亦自有其难处。宋元人昧于小学，作篆有法度者，四百年间，寥寥数人。所见蔡元长、贾秋壑鉴藏诸印，皆拙劣已甚，子行一出，不翅起八代之衰矣。

王元章印，传世无多，余从清宫旧藏元章手迹，观其自用诸印，若"王元章"，若"文王孙"，若"会稽外史"（见元章画梅卷子），若"会稽佳山水"（见曹云西山水元章题诗），纯用汉法，韵味深厚，无元明人习气。又有一印曰"方外司马"（亦见画梅卷子），拟凿印尤卓绝，非浪得名也。

余交印友以同县吴公阜（泽）最夙，两人见解亦多同，世目余为吴

图343　汉印　婕伃妾娟

图344　吾丘衍　跋杜牧《张好好诗》

缶庐丈之徒，公皁为赵叔孺丈之徒，皆非真知余两人者。公皁之印，
实兼师众长，不主一家。赵丈最擅元朱文，余未见公皁之为是；公皁
拟汉诸作，亦不类赵丈，意境乃与黄穆甫冥合。公皁初未见黄刻，余
尝携黄谱与看，病榻展读，辗然笑不止。盖亦引为同调也。

　　汉两面印，一面多作"臣某名"，余效为之，或以为异。不知古
人相与语多自称臣，自卑下之道，若今人之自称仆（张晏说）。《史
记·高祖本纪》吕公曰"臣少好相人"，是时高祖未贵也。《季布传》
朱家曰"迹且至臣家"，季布非人君也。汉人印文男子谦曰"臣某
名"，女子谦曰"妾某名"，宁真为人臣人妾哉。

　　客问："近世印人截然两派，或主气魄，或尚韵味，荆玉灵珠，各
自珍爱，将孰为是非乎？"余曰："此吾恒言阴阳刚柔之说也。微特刻
印然，凡百艺事，禀受天性，莫不尽然。龙门、扶风，文异体也；渊明、
康乐，诗异格也；稼轩、白石，词异调也；率更、鲁公，书异迹也；大
李、摩诘，画异宗也。大氐庙堂之上，多得工能之美；山林之间，咸逞
放逸之才。验之有清之画，迹象弥显；烟客、麓台，岂可与清湘、雪个
并论。"客曰："然则子之印于斯二者何居？"则应之曰："十载拥书，
野性未驯，羁迹朝市，而乐志江海，故时时出入两派间。乃所愿，则
学钝丁也。"

图345　汉印　臣鲵苍

图346　汉印　妾徵

世说入印，虽不古见，然足以寄托怀抱，固雅人深至也。平昔为慈溪冯君木师（开）刻世说最夥，曰"萧条高寄不与时务经怀"，孙兴公语也。曰"偶然题作木居士"，昌黎句也。曰"空自苦"，扬子云语也。曰"爱闲多病"，王仲宝语也。曰"香风时来吹去萎花更雨新者"，释典语也。曰"有殷勤之意者好丽"，《韩婴诗传》语也。"殷勤"八字，凡治两石，其一为桂林况蕙风丈（周颐）作，刀法稍异。

蕙风丈既得"有殷勤之意者好丽"八字印，复属刻一印曰"好丽楼"。乙丑夏，自上海移居苏州阊门，其地旧名丽娃乡，有明太守况伯律（钟）遗祠，先生之先德也。又属刻一印曰"丽娃乡循吏祠奉祀生"。是冬遂纳一姬返上海。以殷勤好丽之一念，卒从丽娃乡中挟丽娃以归，古有诗谶，兹其印谶耶？

杭郡为印学渊薮，余于戊辰春来此，访求浙派后生，已寥若晨星。自缶翁告殂，西泠一社黯无光气久矣。顾是邦人士收藏八子手刻犹夥，尤以次闲为常见。次闲印格稍卑，杭人珍弄，不殊丁、蒋。少年承学，每相取法。去人不远，易得众好，亦适然耳。

传世三桥印多伪托，魏嫁孙诗："赝鼎遍天下，俗至不可医。笺尾双朱文，秀华擢金文。"吾人亦惟有从其书画真迹自押各印窥豹一斑，其余不足凭信。

图347　沙孟海　萧条高寄不与时务经怀　　　图348　沙孟海　有殷勤之意者好丽

图349　沙孟海　好丽楼　　　　图350　沙孟海　丽娃乡循吏祠奉祀生

印章款识造语之工，莫若扨叔。扨叔著述赡富，文章尔雅，似李申耆，小品游琢，宜其名隽浏亮，无施不可矣。余之珍爱扨叔，大抵如此。

"埏埴以为器，方圆具矣，而天机不存焉。巧工引手，冥合自然，览之者终日不能穷其趣，然而不可施之以绳墨。"此汪容父道巴予藉之为人也。余谓移此论印，尤为得之。予藉所刻，亦复相去不远。使今世有解是者，余不敏，当赢粮从之矣。

余初谒叔孺丈于上海虹口，丈以歙黄朴存先生（质）《滨虹草堂藏印》一部相诒，谓是谱已不易得，盖其中钤录玺印数百事，已非黄氏物矣。初，黄寓上海某处。一夕，邻舍火起，黄仓皇捧一箧下楼。遇一少年人，曰："为公守此，可更上楼取它物。"取它物下，而少年已飏，不记为谁何人。箧中即其平生精力所聚之铜玉玺印也。

蕙风丈曩撰《天春楼漫笔》，谓夜来香开时，必有螳螂栖集叶底，屡试不爽，之二物一若相依为命者。一夕君木师语之曰："若放王桐花句例，则当云'妾是夜来香，郎是螳螂'矣。"遂联句得《浪淘沙》一阕云："风雨黯横塘，著意悲凉，残荷身世误鸳鸯。花国虫天回首忆，犹说情芳。"（蕙）"妾是夜来香，郎是螳螂，花花叶叶自相当。容易秋边寻梦去，点鬓繁霜。"（木）蕙风丈并属余取王句合此语制一印纪其事,今存集中。

君木师以蕙风丈体物之微,称之为"况螳螂"。蕙风丈则曰:"就词句言,当称为'冯螳螂'矣。"我屋公墩,究将谁属,并记两先生之言于此。

明人书画所钤小印,率多清正朴质,不失炎汉风规。文、何大家之作,偏少两京气息。意者两氏标高揭己,独辟町畦,工能之极,转挟匠气。其所以离异古法者,正其所以博盛名欤。

早岁治印,喜为撝叔。乙丑四月,缶庐丈题余印存,乃云"浙人不学赵撝叔",又云"不似之似传让翁",盖讽之转饰也。缶老亟称让之,然其集中为让之体者,亦复不多。通观全稿,浑刚苍古之气,不可逼视,让之对之,故当却步。余近作亦不肯媨为谁体。老社云,"转益多师是汝师",吾意亦犹是耳。

丙寅居上海,获交海门王启之(贤),寓庐咫尺,晨夕过从。尝锲

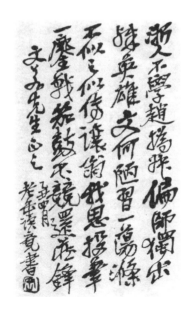

图351 吴昌硕为沙孟海题词

图352 沙孟海 劳劳亭长

数印贻余,久无所报。一夕,见余自制"劳劳亭长"四字,辄夺去。君木师旁视而笑,谓启之名正言顺,若也咎由自取。余亦无可奈何。今时人稍稍称王劳亭矣,使启之诚分得吾劳以去,余亦何爱区区。三年以来,余征车南北,尘劳万状,名去实存,启之其谓我何。

梁茞林有印云:"二十举乡,三十登第,四十出守,五十还朝,六十开府,七十归田。"不翅其自序也。康长素有印云:"维新百日,出亡十六年,三周大地,游遍四洲,经三十一国,行六十万里。"襟度尤豪。

文徵仲尝有印曰:"维庚寅吾以降",《离骚》句也。后人有效之者,云"维癸酉吾以降"。缶庐老人尝有印曰"湖州安吉县",唐周太朴诗句也。时人亦有效之者,云"广州番禺县"。唐世有慕太白、乐天之为人者,自为名字曰"张碧太碧""黄居难乐地"。今之效文、吴者,何以异乎是。

张琼英,女子能印者也。里居、年代皆未详。启之斋头见其印款墨本一纸,乃其绝笔,且为新婚夫婿刻者。字迹朴好,造语亦近雅,惜印文不可得见。世有知其人者乎? 愿有以启我。移录款语,用代零丁:

梦涛夫子以片石命刻名章,以嫌故,不之应也。今六礼方行,而二竖告期矣,可奈何。因记成语一句,上二字适如所讳,用勒石以示表念。人之将死,其言也善。不弃葑菲,盍亦顾名思义乎? 己巳冬日女弟张琼英绝笔。

叶东卿题《敬吾心室识篆图》,自言与朱茮堂论文道古过从之密。某岁冬,相晤清江浦舟次,闻市肆有售秦汉印数十枚,急约往观,冲风冒雪,归途夜暝,同蹒于道,衣履泥涴。茮堂云:"此所谓如印印泥也。"相视而笑。此亦印坛美谭也。

收藏印多憙作韵语,类于铭矣。唐杜暹"清俸买来"三语,记于卷端,虽未入印,却是椎轮。陈仲鱼(鳣)云:"得此书,费辛苦,后之人,其鉴我。"沈畹叔(廷芳)云:"购此书,甚不易,遗子孙,弗轻弃。"萧寥亭(梦松)云:"名山草堂,萧然独居,门无车马,坐有图书。沉酣枕藉，不知其余，俯仰今昔，乐且晏如。萧寥亭铭。"王述庵（昶）云：
"二万卷，书可贵，一千通，金石备。购且藏，剧劳勚。愿后人，勤讲
肄，敳文章，明义理，习典故，兼游艺，时整齐，勿废置。如不材，敢买
弃，是非人，犬豕类，屏出族，加鞭筭。述庵传诫。"又孙澂之（文川）
印作五言百七十字，杨幼云（继振）印作散文百九十五字，萧王杨印
其末且具款，亦可谓好事矣。

辛酉夏日，逭暑郡中屠氏桫椤馆。仲弟端己（文求）、象山谢冲尹
（道用）、同县屠武仲（果）相从问学，文史之暇，兼课书刻。冲尹神解
超悟，功力亦厚，用垂露法写《兰亭》最工，篆书师李少温，即以其体
入印，时有新意。端己笔力刚健，书与印皆未尝学邓山人，而涉笔辄
与之合。真书最爱王远之宕逸，或参《李仲璇》与《曹子建碑》意，杂
籀篆为之。武仲年最少，临《魏灵藏》《孙秋生》诸造像，摹汉铸，皆
有气魄。公皋家竹林巷，密迩屠园，日日相过，诸子亦多得指授之益。
尽两月罢去。泉石竹树，历历可忆，而此诸子尽登鬼箓，痛可言耶！

陈逸字道希，同县女子，天才俊迈，尤擅豪翰。落笔遒劲，有丈夫
气，似张二水，似倪鸿宝，并世未可多得。丙寅客沪上，从余文字，尝
为连成十印，盖深许之也。

昔人言字印不宜著印字，非也。字印不著印字，盖汉世大体如
此。然如"田绾之印"又一面则云"田翁孟印"，"田青肩印"又一面
则云"田长宾印"，"秘寿之印"又一面则云"秘子游印"，"赵福"二
字印又一面则云"赵长孙印"，皆字印著印字者也。

柏人者，迫人也。"张喜之印宜身至前柏事毋间"，直以"柏"
为"迫"。

蕙风丈素好余印，《餐樱庑漫笔》时及之。比余于陈秋堂，且谓有
"静、润、韵"三字之妙。故丈殁余挽以联语云："词学导先河，重拙大
消息微茫，独有心灵追白石；印人承末契，静润韵品评矜许，可堪刀
法愧秋堂。"重拙大则其夙昔论作词之三要，见《玉梅词话》。

吾乡当大嵩江入海处，有小山曰"球琳山"，亦作"毬绣山"，实羊

求休之转音。山产印石，世称大嵩石者是也。旧闻每岁采石，祠以太牢，戚元敬易之以羊，自是遂绝，故名羊求休。朱竹垞诗"羊求休嫩大嵩老"，误以为二物矣。全谢山诗："吾乡用私印，大嵩亦擅名。洞天万山骨，色相百变成。余分为春冻，中有红猩猩。"羊求休多绀色，佳者有冻，故云。惟谓洞天万山，则作者未履其地，不知出自濒海小山也。余童时犹见大嵩盐场诸村人家多藏此石，道左垣角，时或见之，今则不可多得。

朱竹垞以明崇祯二年己巳八月廿一日生，今年丁卯，三百岁矣。沪上学者于是日设位公祭，为文酒之会，亦一时盛事。吴兴朱彊邨丈（孝臧）生辰在七月廿一，恰先竹垞一月，属余刻"先竹垞一月生"六字印。既下墨，未奏刀，又属改"先"字为"前"字。先、前同义，而语气微有不同，前辈遣词不苟如是。

南海舟次阅《籀廎述林》，其记汉缑仔玉印有云：八体署书夋书今不复见，唯摹印缪篆藉缑仔印及秦玺文存其辜较。按缪篆之义说者不一。桂未谷举凡汉晋印文均目为缪篆，仲容乃谓如缑仔印之类作鸟虫书者方是。兹姑不论，然仲容所见汉印实鲜，私印作鸟虫书者，如新成甲、侯志、王武等，散见诸家谱录，不一而足，奈何藉此两者始存辜较乎？

癸亥为道希刻名印，拟汉五字章，旁款作《李仲璇碑》字体，忘之久矣。己巳秋客广州，于蔡哲夫（守）坐上见潜江易均室（忠箓）所选明清诸家印，凡一厚册，是印赫然在其中，蔡易两君徒见其款署"石荒"，不知石荒为何人也。道希以丙寅游粤，明年入鄂中，遘乱，尽丧其装箧，是印乃展转于易君之手，又展转入于作者之目，不可谓不奇。当均室不知余时，方且疑余为古人，余别道希三载，见其私印已为好事者藏弄，亦几几疑道希为隔世人矣。均室称是刻深入两京，而无时人习气，则不敢当。

粤中获交诸暨陈达夫（兼善），专精生物之学，兼工刻石，落笔悍劲，所谓得乎阳与刚之美者。蔡哲夫、谈月色（溶溶）夫妇印记，多出其手，见其二子，长曰耳，次曰驱，命名亦奇，有汉人风。

诸真长先生（宗元）索余治印，先以一绝云："缶庐刻石再遭厄，更乞沙君作白朱。石破天惊留姓氏，印人补传定先书。"厥后真老作古，余之印亦未成，负疚终古，如何如何！

萧山朱氏别宥斋藏《箫楼印谱》一册，为吾县陈权巽占作，瓣香丁敬叟，清简朴茂，不涉纤巧一笔。巽占乾嘉间人，能诗，工各体书。阮伯元摹刻天一阁宋拓《石鼓文》，收其观款。黄楚生刻《甬上名人尺牍》，有其跋尾。董觉轩辑《四明清诗略》，录其诗十余首。手迹飘散，所见止此。一代俊人，今世少能举其名者，展卷累欷。

丁卯卖印，曾为日本人刻"大司农印"四字朱文，庚午在广州，为蔡夫人谈月色刻"绿利市堪"四字朱文，皆仿汉铸封泥体制。时人拟封泥多带厚边，余不貌为。

图353　沙孟海　前竹垞一月生

图354　沙孟海　别宥斋

图355　沙孟海　大司农印

图356　沙孟海　绿利市堪

粤中闻公阜病甚，归后趋视，幸稍平复。出视病中所为西湖博物馆数印，多用让之法，远规汉晋，深情高韵，自叹弗如。缶翁已逝，善为让之体者，四海之大，公阜一人而已。因叹吴家人文之盛，代有作者，天未弃商，公阜之病必瘳。

兰沙病懒，知我者无不知之。庚午再度游杭州，懒乃益甚，人目之曰懒沙。懒沙二字却可入印，惟亦懒刻耳。七年前，奉化俞次畀（兀）怀余诗云："孟海绝外慕，力学探其本。置身人海中，尘嚣不挂眼。席间方丈地，凌杂简编满。低首诵经史，冥心事述撰。客来畏酬应，口讷颜为赧。起立小徘徊，逾闳觉已远。倘能学辟谷，终岁宁不饭。生事殊难了，天明又恨晚。身闲心则劳，忧子不如反。致书累相规，乌乎奈子懒。"此足为不佞写照矣。

治印有须先讲求之一事，则字号之审别是也。古者幼名冠字，名字而外，非必立号。西伯号太公曰太公望，晋平公号少姜曰少齐，范蠡自号曰陶朱公，此乃偶然之事，无当尊名之义。中古以还，文学之士动喜托于物以为号，斋轩山湖，触目皆是，碑志传状，或与名字并书，不以为嫌。以章实斋之博洽，《文史通义》专立《繁称》一篇，力诋别号之非法，顾其己字乃亦系以斋字，与号同科，盖字号之相袭久矣。近代学者，解此者益鲜（王益吾《虚受堂集》中书人字号最无伦纪）。间有审核名实，斟酌今古，遇人之字类于号者，或径书号，曰讳某号某，而阙其字，或于讳字外加书自署曰某斋某山而不云号。余为人制别号印，未尝与表字印相牵绳，亦斯意也。

余旧有《石荒图》，吴待秋（徵）作，已亡失。庚午冬日，蔡哲老自岭南补成一卷寄贻，为写一片荒山，但施赭墨，不著黛青，取境高绝。文与可所谓"古无人踪，惟石嶕峣"者，图意近之。为大快慰。惟与余别署石荒之本旨，微有不同。陈无邪师为之跋，已著论之。余近年来浮甚人海，浊若泥滓。偶披斯图，如逃空谷，萧然意远。哲老之饷我，不既渥乎。

哲老既为余作《石荒图》，索余刻"全非今日山"五字，千山和尚句也，余又继刻"见山时多见人时少"八字，见《聪训斋语》。两印语意略同。陶处士云："时人那得知。"

庚午冬日，赁庑杭州马坡巷，远客方归，缁尘未浣，曾是蘧庐，宁能淹久，因颜所居曰岸住庐，刻印记之，并倚《浣溪沙》数阕，有云"檐箔犹浮沧海碧，砌花抹作远山妍"，盖直拟室于舟也。十二月廿二日眷至，明日迁入居之，又明日京檄即到，乃又不得不浮家北去。岸上之住，又成语谶矣。

包容，永嘉人，万历间授中书舍人，张江陵以玉章相属，已镌就，促之急，容怒，磨而反焉，遂拂衣归。大丈夫当如是也。

古印多有相思得志之文，不知用于何所。又敦煌所出木简有春君幸毋相忘字，皆情语可思。记定盦句，"三代以来春数点，二南卷里有桃花"，此则烂铜楛木中之灼灼桃花矣。

绍兴任堇叔（堇）是伯年先生嗣君，真书得元常神髓，为近世第一，时人不尽知也。为文似胡稚威，诗类姚复庄，皆清新戍削，不伴常韵。画若印亦可观，顾不多作。僦居海上廿年，所鬻艺文不常售。有显者致之幕中，未几，不乐引去，卒以穷饿死。余识堇叔在壬戌之冬，尝偕王冰老诣之，值月终，屋主人索赁金，无以应，窘甚，冰老市其书数帧，始解围。世人多以耳代目，或用名位高下品艺事，晋叔之贞美，宜其枯槁死矣。

明人学印，若学书然，先临摹若干时月，然后出手自制。故当时人士所用名印，大率遵循汉法，落落大方，非偶然也。蔡氏寒戎藏赵凡大摹刻汉印数册，张氏望云草堂藏甘旭《集古印正》五册，巴予藉《四香堂摹印》三册，皆是摹古之作。前辈功力之深厚，即此可见。

嘉郡某氏藏宋元以来诸大家名字斋馆成语印，几无所不备，巨来尝观之，皆犀象之属，深刻平底，无雕凿痕，精巧惊人。余疑当时纵有此体制，不合家家如此。继读其谱录，则神韵黯然，固赝鼎也。巨来时初治印，亦常戏为深刻平底，缜密处直不知其如何安刀。

缶庐师早岁自号酸寒尉，有酸寒尉印。以道光甲辰生，亦尝反装晋公戏庚威语自刻印曰雄甲辰。其殁也,彊邨丈挽以联语云:"江海有古心,自谥酸寒,抵死不蠲文字性;丹青忘老至,力空依傍,凭生谁信甲辰雄。"即用此两事。

缶庐师暮年精力胜人,矢诗尤勤,宾退辄沉吟寻搜,或中宵得句,则披衣起坐笔录之。家人惧其劳,亟请戒诗,弗听。一日逢其怒,便倒卧地上,如婴儿状,扶之不肯起。家人大恐,急迎彊邨丈来为疏解,始已。其诗矫健古艳,似老树着花,绝无衰颓之象。获享高年,殆非偶然。丁卯八十四矣,忽有句云:"人谓寿翁宜饮食,自知泉路近昏晨。"彊邨丈见之,大不怡,就其稿草涂去之。是岁冬果捐馆舍。所谓诗谶,信有之乎?

吴子茹(涵)是缶庐老人次君。余与相间,年近五十矣。书画摹印,俱渊源家学,具体而微。印法多用缶老中年以前体,余每以此辨识大小吴真伪。世言萧祭酒书晚节所变乃右军年少时法,子茹印亦若是。子茹前缶老半岁卒,家人恐伤老人心,秘弗以告,阳称东游日本。直至老人殁,终未知子茹先已物化也。

图357 吴昌硕 酸寒尉印

图358 吴涵 澹泊明志

徽浙异宗，至㧑叔、叔盖而其流渐合。㧑叔早岁作皆为锯齿蜻尾，后乃变体。叔盖所作，与蒋奚二陈亦不同科，至遣其子式从㧑叔受印，则心折㧑叔可知。大抵豪杰之士不规规于门户之见，此其一端也。

顽伯为罗两峰作"乱插繁枝向晴昊"七字印，边款云："两峰子画梅，琼瑶璀璨。古浣子摹篆，刚健婀娜。"夫子自道如此。后人为顽伯体者，得其婀娜易，㧑叔、让之、圣俞下逮徐袖海之伦皆是也；兼有其刚健实难，二百年未得其人。

诸家印后人学之辄逼真，独敬身、顽伯无人能至，是以高。让之散宕之作，亦不易学。

与公阜订交十五年，无年不病。顾心力独强，其文其书其印，皆于病中突飞猛进。书融合南北，造诣尤高，上焉者直追初唐，下亦不失为宋仲温。印近董企泉、吴让之，清空一气，不落恒蹊。文不多作，而笔札翩翩，类晋宋间人吐属。吾邑艺苑三百年来少此雅才。天厄之年，乌乎伤已。乙亥八月卒，年三十八。

南通李晓芙（祯）别署曰苦李，从缶老受印，启之早岁即出其门，后因其介，乃径师缶老。苦李癯颜修髯，孤介不谐于时，故长贫贱，而名亦不出州间。既殁，启之编次其印稿，过余杭州参定之。骨力坚苍，不为妩媚之笔，一如其人。集中附见缶老评识，则印谱之创格矣。

余因哲夫而得均室，遇合之妙。前已详之。自是书问往复，神交且十稔。余行脚靡定，又懒答书，中间相失者亦三四载。丁丑或传余客长沙，均室寓书存问，縢以墨本数事，余实未入湘也。戊寅避寇汉上，见市肆曰云松馆者，其额均室笔也。就问均室所在，主人谢不知，谓"比邻凿山骨斋或知之"。进复迹之，则曰"昔常过此，今反潜江矣"。诘其闾巷，亦弗能对，第言"异时或再至，必以相告"。居久之，均室果偕武昌徐松岩（石）来。江关倾盖，相见狂欢。呜呼，以余懒傥，落落寡友生，既得之，渐复失之者众矣，独于均室若得若失离合曲折如此，殆亦有金石缘耶。

均室不刻印，顾笃好印。平生积聚元明以来名家手迹数百钮，朋侪为己刻者亦数百钮。既值余，便索治两印，程期成之。诸所蓄藏，故留庋武昌寓庐，倭乱作，铁鸢日日掠汉上，尽挈归故乡，谓将埋诸土中，海枯石烂，吾印不磨。其风趣如此。

均室言有波斯人柯芥衲者，侨中国甚久，酷嗜我国书画金石，多所蓄聚。尝曰："并世诸邦，无若中国之闳美者。它日我即死，魂魄犹依恋兹土也。"年老且病，以所蓄散诸同好。有徐星州所刻数十印，今入某君手，均室尝钤一册，将因蔡哲老转诒余。哲老与柯徐皆旧交

图359　徐星州　善言莫离口

图360　徐星州　游山泽观鱼鸟

图361　徐星州　清远闲放

图362　徐星州　颐情养寿

也,反告均室,"盍赠我以为相念之资",均室允之,故未果及余。哲老诚笃于旧谊,彼柯君亦奇士哉。

艺事流传,书画笺素不过数百年千年,西洋油绘亦称是。金石刻文,多至数千年,然亦惟入土者为然,若旦旦打拓,不到百年,亦漫漶无神韵矣。象石小印,既易散落,朱墨抑拓又艰,好者不多,识者尤寡,故流传最难。枥园书诸论列者,什九已不复睹其手迹,此三百年事耳。昔张濂亭尝欲沉石江底,以传其书,哀知音者稀也。是故世间不可无易均室。

桐城张国药(武)游蒙古时,得古印数百钮,辑录数谱,凡为玺一册,印二册,押一册,西北古国印别为二册。戊寅九月,余避寇入渝州,其长君星枢携以相赠。汉晋诸印,多茂美之作,或为旧谱所不载。西北古国,如突厥、契丹、女真、西夏印均有之。西夏文今人颇有通习者。契丹女真文,国药粗涉其樊。突厥印云自突厥古碑参校得之。又跗蒙藏印,则转丐蒙藏友人审别之者,往见上虞罗氏有《西夏官印集存》,自余诸国未之及,国药所得虽无多,亦足宝也。

国药《古押集存》自序,谓印与押有别,不可合并,引余旧说,以"押为画诺之遗,六朝有凤尾书,亦曰花押,后人以之入印"。余言押所自昉,故云。若既以押入印,则押亦印之一体矣。

《吴氏印谱》一名《汉晋印章图谱》,巴县罗氏新得之。均室持示余。盖明沈润卿《欣赏编》之一种,纸色苍黝,其为原刻无疑。首有元至正二十五年豫章揭汯序,言是吴孟思手录,卷首则署临川王厚之顺伯考,卷末题钱塘沈乔摹勒。揭汯为揭文安子。孟思名睿,出吾了行之门,刘诚意称其篆笔赵吾不能过者也。谱中凡录官私印九十三事,木刻传摹,形神都爽,惟大体俱在。若右将军会稽内史印及卫青、郦商、贾山诸私印,尤它谱所未见。

印章图谱,托始宋世,旧籍无存,但闻称目。早期成书,殆皆木刻传摹,未必原印钤红。明隆庆间,上海顾氏《集古印谱》问世,收印千七百余事。初版用原印钤红,只成二十部。嗣后皆木刻传摹,风行一时,复刻本增订本之多,不可究诘。明季印学大昌,作者蔚兴,顾谱启迪之功,实不可没。

吴谱著录诸印,间出藏者姓氏。当时延赏之士,今日能道之者鲜矣。最而录之,得十七家:曰吕寿卿、曰邓挺器先、曰施宿武子、曰姚梁丞、曰钱参处和、曰袁起岩、曰荣次新、曰沈虞卿、曰王复斋、曰杨伯虎、曰尤延之、曰玉山汪氏、曰韩肃可允寅、曰颜景周、曰徐禊景平、曰潘柽德文、曰王厚之、曰赵师锡。王厚之号复斋,是一人。

鄂中印人,少著称者。均室举汉阳曹复堂(善)、江夏胡篑谷(之森)、明紫卿(兆麒)、江陵郭某庵(芬)诸子,出视朱迹,惟不多,故弗能有所评骘。

均室避地渝州,题长沙唐醉石(源邺)坐上青田石一律云:"从溯巴夐硌确江,华风三接展眉庞。看云可借游仙枕,罗石定明花乳缸。蟫簏依亲原共命,蚕从凿画且为邦。相携仍拂前尘影,剩说楼台各有

图363 唐醉石 意与古会

图364 唐醉石 时人缪说云工此

图365 唐醉石 书贵瘦硬方通神

图366 唐醉石 意足不求颜色似

幢。"初，杭士维季（褆）尝取二桥语为均室署榜曰印起楼台。醉石则积鬻印所入，果起楼于金陵。两人者每以楼台虚实相尔汝。及避难抵渝，则醉石之楼存毁不可问，而均室印上楼固皆附装以西，未之或失。两人相遭又大噱。末句盖谓此也。

己卯上巳，与均室要约渝州印人数辈，小集涪内水上。宿雨乍收，风泽净旷，林峦浦溆，点碧沃赪，如展宋人青绿长卷。投闲谭艺，浑忘身世。时倭已薄岳口，均室方避地到此，谓获此良晤，可慰调饥。华阳乔大壮（曾劢）以病腰未至，翌日，均室写示一律，叠前韵云："朝传日给新封帖，昨想鹿门得扣庞。刷肾几能留积潦，抟沙应许对明釭。矍忘身世羁何苑，信美江山识此邦。徙倚危阑照杯盏，不惊空外见云幢。"大壮和云："题襟事在逢柯古，举盏诗成吸老庞。故国江湖开粉本，行縢环秘暎珠釭。雪泥那计东西迹，笔阵真方大小邦。一片巴山留夜雨，他年心影付幢幢。"录之以为异时之拊掌。

《金薤留珍》屦入唐以后印，但尚不多。有大明诗人林古度之印，冠以朝名，殆入清后用以明志者。其著诗人字亦奇。茂之入印，骏公署墓，等是诗人，而志节薰莸不可同日语矣。

大明诗人林古度之印，古度名却雅，称其印文。记钱牧斋句"天宝贞元词客尽，江东留得一徐波"，徐波之名，亦称其诗句。此中消息甚微，虽印人亦不可不辨。

白石道人鹰扬周郊、凤仪虞廷两印，无由得见之。均室云："杨星吾家藏两宋私印钩摹本，中有白石两印，但言鹰扬、凤仪，无周郊、虞廷字，与传闻异。"或者别有此一耦尔。

醉石新得管军万户府印，背款云"龙凤元年十月日造"，左侧款云"列字第拾号"。龙凤、韩林儿纪年也。汪容父《释印》，言黄山民获铜印二，文与醉石所得正同。其一治平三年，其一太平三年。惟厥制皆圆，醉石所得则方。万户府元官，徐寿辉据蕲水为都，国号天完，改元治平，其三年当元至正十三年，太平则未详谁所称（容父疑寿辉尝以是改年）。观韩氏亦置万户府，盖当日起义群雄官称多沿元制也。均室云，"今藏泉家以龙凤大小二品为珍秘，印亦不易觏"。

"官印欲其不史，私印欲其史"，龚定盦语也。定盦尝辑官印九十方为《汉官拾遗》一卷（见《己亥杂诗》自注）。其书不传，名曰拾遗，殆皆不史之官欤？

乔大壮斋头获读《徵秋馆印存》，闽县陈氏家藏古玺印，凡七百余事。虽不逮十钟山房之博，要可与海丰吴县二吴媲美。潘伯鹰（婴）云："旧都同好合资遣古光阁主人周希丁入闽手钤，不过二三十部，今不可多得矣。"

见郑子尹（珍）手刻唐炯厶印白文四字，篆法从十兰来。学人之印，又具一格。

渝上值江宁吴稚鹤（兆璜），言潍县陈氏藏印最名贵者四十有二，今入其外家天津徐氏，彼尝观之。四十有一皆玉，钮形环奇，无一同者。缇仔姜娟之印，羊脂白玉，中有点丹，钮上但作浅镌，似凤似鸳，不甚可辨。其一淮阳王玺，银也。陈氏印举以是附诸玉印后，而不具说，世人不知，误以为玉矣。

庚辰岁莫，易均室万灵蕤（瑞药）夫妇将有关西之役，主余巴山寓斋两旬，日与还往者，武进蒋峻斋（维崧）、湘乡曾少杰（昭拯）、武昌徐松岩，皆印人也。洪洞董寿平（揆）以画名家，押尾诸印，亦其所自镌。万夫人为瑞安万季海先生（隽选）女，能诗，工小真书，尤擅毡墨。其归也，先生手刻"人之砥锡"四字印媵之，今犹携带行箧中。

余治印受之庭训，先君子平居每用书画篆刻自遣，山中少友生，独与同里干丈子厚（长清）往复证向，有切磋之雅。干丈早卒，先君子亦中年下世。洊更丧乱，手泽都尽，今日欲求寸牙片石，亦不可得矣。

吾县摹印之士，今日为盛。赵叔孺、马叔平两先生年辈较先，赵先生兄子蕙厂（天觌）、吴公阜、朱百行（义方）、张千里（辟方）、周节之（礼）皆致时誉。公阜已矣，虽百身何赎。

上虞罗氏云："古玺印出土之地三，曰关中，曰山左，曰归化。诸家谱录所载,太半出关中。其出山左者什一二,归化者什二三。而山左多出白文官私玺,归化多出朱文私玺。"

曩于启之许见修水陈师曾(衡恪)手刻夕红楼三字印,游刃恢恢,叹为绝作。辛未居金陵,陈叔谅(训慈)以师曾《染苍室印存》一部寄诒。通览全稿,未有若此印之惊绝者。盖师曾亡后,其友人掇拾遗迹,不加别择,汇录成书,殆多其少作,未可知也。凡诗文诗画谱集,要在生前躬自铨定,方无遗憾。读《养一斋文》,纯驳互见,不即为申耆盛名之累耶。

章行严先生(士钊)旧藏碧玉印一,刻杜诗训练强兵动鬼神白文七字,旁署张璲镌,云是湘乡曾氏故物,辛亥光复流离中得之。印人

图367 蒋维崧 云烟是我师

图368 曾绍杰 家在西南常作东南别

图369 陈师曾 夕红楼

图370 邓尔雅 循吏儿孙贫不讳

能攻玉者不多，张璐亦未详其人。

南国锲家以东莞邓尔雅（万岁）、鹤山易大厂最为老师。尔雅私淑黟山，得其靓挺之嫩，时出新意。哲嗣有林（橘），亦绍家学。大厂亲受业黟山之门，早岁专治小玺，殊有精诣，近来益闳肆，与前作如出两人。并世解人如若人者正复不多，要亦学问成之耳。

叔孺丈娶于闽县林氏，为颖叔方伯（寿图）女，世传以画马得妻，其事有无，余弗能知。林夫人别署籀宧，亦工治印。余尝见其手刻，用笔在曼生次闲之间，与叔孺丈早年作差近。夫人从子林冕之（洵），工籀篆书，笃定前贤矩度，印亦如之。壬戌癸亥间，同游上海。尝属余刻"必遵修旧文而不穿凿"九字，可以见其为学之旨趣。不幸短命，闻者惜之。每过宴子路，道樾荫浓，望冕之旧居，辄有回车之痛。

余以丙子冬去金陵，适杭州，既至，则闻蔡哲夫谈月色夫妇到金陵，未遑问讯也。战后还都，从市肆见月色润格，叩知其寓鼓楼二条巷，署曰二条一廛。一日微雪，偕稚颐访之。相见几不相识，盖别来已十有七载，哲老则既于庚辰十二月殂谢，亦六载矣。哲老旧蓄书籍古物，于粤于京，两遭兵燹，遗箧中已无复当年在粤所睹之一物。余为其夫妇所刻诸印，亦荡然无一存。劫后重逢，恍如隔世。月色故以画梅著称，余但知其能诗，未知其并能印。近来时获读所刻印，下笔有法度，盖得哲老与宾虹之指授者。往时有误以月色印为哲老代作者，哲老有绝句云："衰翁六十眼昏昏，治印先愁臂不仁。老去千秋有钿阁，床头翻误捉刀人。"

乙酉居渝州，自制"臣书刷字"四字朱文印，用米元章语。元章对时君之问云："蔡襄勒字，黄庭坚描字，苏轼画字，臣书刷字。"四者皆贱目之。然元章自道似谦，而实不逊。勒描画皆装作之辞，刷则挥洒自如，无所假藉。余虽不能至，心向往之。

窦臮《述书赋》叙印验云："古小雌文，东朝周颛。"雌文之称少见，盖犹言阴文耳。

古彝器有云夜雨雷钟者，赵氏《金石录》、王氏《钟鼎款识》皆著录。丙子在金陵，爱其名，自署所居曰夜雨雷斋，刻印常用之。和县丁山过我渝上，谓是钟夜当释吴，而雨畾两字当合释雷，吴雷者，吴回也。著《吴回考》一卷，袖以相示，其说甚辨。余斋印经乱既亡，自是遂不复称。但谛察墨本，吴字诚然，雨畾两字不相属，似非一字，《洹子壶》《师旅鼎》诸器雷字皆不从雨。

丁亥五月，大壮归自台湾，余访之大石桥蒋峻斋家。逾三日，复相值北城书库，饮兴犹豪。是月廿七夜，忽自沉苏州城外梅村桥以死，年五十七。大状饱学荣辞，篆刻用邓赵体，颇近黄穆父，但多创意，觑幽刺怪，自成家数。为人蕴藉敛抑，不自表襮，尤不可及。余闻其名廿余载，交其人亦六载，犹恨知之未尽也。乔氏家世多自杀者，大状尝戏言，自杀乃我家常事。余每忧其饮酒过度，且致大病，不谓

图371　乔大壮　一杯长待何人劝

图372　乔大壮　千秋愿

图373　乔大壮　帘卷西风

图374　乔大壮　渐喜交游绝幽居不用名

竟从屈大夫游,伤哉。

　　大壮到苏州,将死,寄峻斋绝句云:"白刘往往敌曹刘,邺下江东各献酬。为此题诗真绝命,潇潇莫雨在苏州。"附记云:"在都蒙命作书,事冗稽报,兹以了缘过此,留一炊许,勉成上报,亦了一缘。"劣纸

图375　丁辅之　剑胆琴心

图376　丁辅之　幽意闲情

图377　叶品三　婆娑岁月

图378　叶品三　一息尚存

图379　吴石潜　怕你不雕虫篆刻

图380　吴石潜　金石癖

淡墨，盖从逆旅主人索取者。逝者如斯，览之肠断，但为吴门增一故实而已。

己丑九月，重游杭州，值西泠印社秋祭，韩仲诤（竞）为主办。几经乱离，先老凋零，俎豆冷落。歙黄朴存年八十六，崇明童心安（大年）年七十五，最为老辈。朴老以事未至。永嘉马公愚（范）、慈溪张鲁盦（咀英）从上海来，可谓有心人矣。此社创始清光绪二十九年，杭丁辅之（仁）、叶品三（为铭）、王维季、绍兴吴石潜（隐）实经纪之，缶翁有记，石刻尚在壁间。是日会饮西楼，凡三席。余有他事先出。望湖上山色，忽忆缶翁诗，"料知社酒如泥醉，南北高峰作印看"，今人复有此襟度不？

黄朴存先生斋头见端午桥赠人团扇，钤一白文巨玺，文曰汭□□都司马餐军崴功之玺。其大与日庚都萃车马朱文玺相埒，视□将渠白文玺过之。端自记云："燕卢龙王玉玺，道光间出易州，与燕将渠玺均六国时物，世传古玺此为第一。辛亥六月既望，韵白世讲鉴，端方。"汭乃梁之本字，不当释燕。端氏所称燕将渠燕字原文作□，乃□字，端氏皆误释。此玺《匋斋藏印》未载，殆纂次所谱后所得者。辛亥六月既望，则武昌军兴端氏被杀前两月也。

同县童顺父（鸿书）工各体书，兼擅治印。辛酉初夏，过余郡中屠氏飞仙阁，始相见。自是昵就余，见余手迹，虽败纸漫笔，必深藏之，亦有所蔽也。戊寅避寇入渝州，以钞胥自浣。性耽酩酊，常以一壶自携，或中宵起坐独酌，视月影转长廊乃反寝。久之得脑疾。丙戌三

图381　汉印　侯胜之印

图382　汉印　石易之印

月将还都,忽不省人事。其弟彬书既为定飞机座席,濒行出走,遍访无所得,殆蹈嘉陵江死矣。顺父篆刻多貌汉人,拟玉印尤工,平昔不留朱蜕,身后检集益不易。书兼习南北派,于晋帖隋碑功夫最深。已病,吐言若梦呓,犹为人作书,累数笺不误一字。

周元亮《印人传·书沈石民印章前》云:"印章汉以下推文国博为正灯,以猛利参者何雪渔,以和平参者汪尹子。"彼所谓猛利,犹吾所谓阳刚,彼所谓和平,犹吾所谓阴柔也。元亮之时,印学滥觞未久,猛利和平,虽复殊途,而所诣未极。历三百年之推嬗移变,猛利至吴缶老,和平至赵叔老,可谓惊心动魄,前无古人,起何汪于地下,亦当望而却步矣。

之,足辞也。印文多用四字,故单姓一名或著之字以足之,复姓二名则否。此定格也。今人昧于此义,为二名者作四字印,至夺其姓以安"之"字,虽名家犹然,不可不正。

文人僇辱,古今一例。己巳春,尝刺取汪容父《自序》语刻印,曰"乞食饿鸥之余,寄命东陵之上"。其后弃去不复用,惧祸也。

同县张于相先生(原炜)晚岁刊所为文曰《葑里剩稿》,检一册寄余渝州,中有赵叔老行状,始知叔老以乙酉三月殁于上海,年七十二。余治印初师叔老,其为元朱文,为列国玺,谧栗坚挺,古今无第二手,心摹手追,至今弗能逮。别来十余年,倭尘匝地,道路梗绝,不获重睹颜色,掩卷黯然。

邓有林为均室刻三印,曰"画里移舟诗边就梦",曰"折芦花赠远零落一身秋",曰"弘虑存古幽情属词",最为杰出。闻其人早逝,他作流传亦少。

朱修能为明季一大家,谱录流传,世不多见。董企泉《多野斋印说》云:"向藏朱修能《印品》《菌阁印谱》二种,其印有超出古人者,真有明第一作手。在京师时,为同寓友窃售于有力之家,后欲一借观不可得矣。"企泉乾嘉时人,已言如是。余何幸获读修能两谱。《菌阁藏印》上下二册,桐乡徐氏所藏,名曰藏印,实皆自运之作(董称《菌阁印谱》非其原名）。其印兼师众长，周汉元明，变化多姿，用力简涩，已开敬身、予藉之渐。《印品》上下二册，黄宾老所藏，皆摹古之作，分体品列，取便承学。卷前后有董洵印，小池印，董生印，小池癖此印，知即企泉原藏。二百年来，未知几易主人，宾老得之，亦胜缘矣。

秦书八体，五曰摹印。是用小篆稍方之，与战国玺古文错落截然不同。《封泥考略》著录簠斋所藏皇帝信玺四字印痕，其遗迹也。汉初制度，因循秦代，皇帝六玺，亦秦故物。史称子婴降轵道旁，奉天子玺符，可证。然则此玺秦汉共之，《考略》目录题汉帝信玺封泥，则未妥。

薛氏《钟鼎款识》著录秦受命玺传本三种，皆大型，作鸟书。南北朝用纸，印型渐大，此三玺显由唐宋人向壁虚造，薛书亦自云疑以传疑。

今世所见朱白文古玺甚多，印学家习称"秦小玺"，或云"小秦印"，皆失考。朱修能生于明季，所撰《印经》《印品》两书，已定此为先秦印、三代印，识力不可及。惟三代两字时限过宽，未可从。修能书流传不广，世人多未寓目，直到赵㧑叔、黄穆甫，谱中为此体者，犹自记拟秦印，何其疏于审别耶。

米元章跋褚摹《兰亭》，连用七印，曰米黻之印、米姓之印、米芾之印、米芾、米芾之印、米芾、祝融之后。此法前古所无，后世亦罕见。

图383　黄宾虹 黄质宾虹

世传米氏诸印皆亲镌。宋人印如欧阳永叔，苏子瞻、子由兄弟，并皆工细，独米老多粗拙。谓其出于亲镌，亦复可信。

赵子昂、吾子行治印，但作篆，不自镌，钱舜举画上所押舜举二字朱文，雪川翁钱选舜举画印九字白文，皆粗拙，定效米老亲镌耳。

《三国·魏志·夏侯尚传》注引《魏氏春秋》有印工杨利、印工宗养。我国早期印人有姓名可稽者惟此。传世亦有曹魏印，是否出此二人手，则不可知。

同县秦氏藏龙骧将军章鎏金五字印，黄金填满字画，印面坦平，不能用作封识。盖专为佩带用耳。

《何萨奴印略》一册，题南州何涛巨源篆镌。自序则署火莲居士巨源甫何涛识，蘧修甫吴淑瑗书，写刻本，无纪年。审阅全谱及序跋，皆是明人风格。印章体势近何雪渔，栎园《印人传》言雪渔子名涛，想即其人。雪渔家婺源，题南州何涛，亦明人习气。

黄宾老自刻黄质宾虹四字有边白文印，风格逼似巴予藉。新安旧体，今日解此者鲜矣。

鉴藏书画，例有署证与印验。传世晋唐名迹，常有梁隋唐人押署，唐宋以来公私印记，或于本幅，或于后纸，或于骑缝。后纸大可展舒，印押题咏，有助稽考。若本幅印押，少数犹可，多则污损原迹。米元章《书史》云："印文须细，圈细与文等，近三馆秘阁之印，文虽细，圈乃粗如半指，亦印损书画也。"粗圈犹惧印损，何况累累盈幅，几无留隙。清宫旧藏前代法物，经弘历之手，乱题乱印，殃及笺缣，使人展卷痛心。鉴藏之家所宜引为戒慎者也。

右印话百余则，皆早中年作。前十九叶，丁亥戊子间少女秾之为余集录，后八叶，则余踵续写记者。壬寅春，西泠印社同人推余草拟《印学史》，自是不复条记，凡有鄙见，悉入史稿。留此戋戋，密尔自误而已，甲辰十月，孟海记。

六十岁以前旧作，一九六四年删定

一九八四年《书谱》第十卷第二至六期发表

图版目录

图书在版编目（CIP）数据

印学史 / 沙孟海著；陈振濂导读. -- 上海：上海书画出版社，
2017.1
（朵云文库·学术经典）
ISBN 978-7-5479-1445-8

Ⅰ.①印… Ⅱ.①沙… ②陈… Ⅲ.①印章学—美术史—中国
Ⅳ.①J292.4-092

中国版本图书馆CIP数据核字（2017）第018960号

印学史

沙孟海 著　　陈振濂 导读

责任编辑	朱艳萍　杨少锋
特约校对	张　姣
丛书名篆刻	沈乐平
封面设计	姜　明
技术编辑	吴　金

出版发行	上 海 世 纪 出 版 集 团 ⑧ 上海书画出版社
地址	上海市闵行区号景路159弄 A 座 4 楼　201101
网址	www.shshuhua.com
E-mail	shcpph@163.com
印刷	上海华顿书刊印刷有限公司
经销	各地新华书店
开本	787×1092　1/16
印张	14
版次	2017年3月第1版　2023年5月第6次印刷

书号	**ISBN 978-7-5479-1445-8**
定价	**58.00元**

若有印刷、装订质量问题，请与承印厂联系